SE NÃO ENTENDERES
EU CONTO DE NOVO,
PÁ

RICARDO ARAÚJO PEREIRA

SE NÃO ENTENDERES EU CONTO DE NOVO, PÁ

RIO DE JANEIRO:
TINTA-DA-CHINA
MMXVII

As crônicas deste livro foram originalmente
publicadas na revista *Visão* entre 2004 e 2012.

P436   Pereira, Ricardo Araújo
           Se não entenderes eu conto de novo, pá /Ricardo Araújo Pereira – 2.ed. –
           Rio de Janeiro: Tinta-da-china Brasil, 2017.
           168 pp.; 21 cm

           ISBN 978-85-65500-00-5

           1. Literatura portuguesa – Crônicas.
           2. Crônicas portuguesas. I. Título.

                      CDD P869 (22.ed)
                      CDU 869

© 2012, Ricardo Araújo Pereira

1.ª edição: março de 2012

Edição: Tinta-da-china Brasil
Revisão: Tinta-da-china Brasil
Capa e projeto gráfico: Tinta-da-china Brasil

Todos os direitos
desta edição reservados à
Tinta-da-china Brasil

Rua Ataulfo de Paiva, 245, 4.º andar
Leblon, 22440-033 RJ
Tel. (00351) 21 726 90 28
info@tintadachina.pt
www.tintadachina.pt/brasil

EDIÇÃO APOIADA POR
DIREÇÃO-GERAL DO LIVRO E DAS BIBLIOTECAS / MINISTÉRIO DA CULTURA – PORTUGAL
INSTITUTO CAMÕES DA COOPERAÇÃO E DA LÍNGUA

SUMÁRIO

13   Ó tu que e-fumas

15   Ah, a minha S. Sebastião da Pedreira natal...

17   Eu sou sincero: não aprecio sinceridade

20   Um casamento e um funeral,
        passe a redundância

22   Eu, o centerfold

25   IKEA: enlouqueça você mesmo

28   O meu projeto

31   A justa medida

33   Mariquização: um problema
        da sociedade contemporânea

36   O comentador que não ousa
        dizer o seu nome

39   Nobody expects the Portuguese winter

41   O sr. deputado Tiririca pede a palavra
        para defesa da honra

43   Portugal, rabejador da Europa

45   I love you, música portuguesa

48   I like to press transgenic flowers

51   Ser do Benfica: manual de instruções

54   Uma bugiganga para o século XXI

57   Será Obama o anticristo?
        Deus queira que sim

60   São Steve Jobs

62   Contra o corte cego da consoante muda

65   A ciganice de Sarkozy

67	Eles comem tudo, desde que não tenha alho
69	Movimento 'uma playmate em cada turma'
72	Orgulho beige
75	A reconquista cristã do casamento
78	A argamassa alegórica dos muros metafóricos
81	Um abraço para Cristiano Ronaldo
84	Dizer que é irritante dizer
86	Política pop
88	Uma reflexão acerca de lixo
91	Triste sina
94	Obscurantismo de ponta
97	Isto de estar vivo
100	Psht, ó chefe
103	Make erotismo, not parvoíce
106	A como é que está o quilo de palavras?
108	Vamos falar um bocadinho sobre a vagina?
110	Evidência de Brokeback Mountain
113	Casamento branco e casamentos negros
115	Os carrascos do carrasco
118	Sobre um pequeno pormenor chamado liberdade
120	Uma janela para o fim do mundo
123	Música portuguesa forever
125	Não chames à estagnação estagnação
128	Um grande beijo de plástico para a Barbie

131	Tu andas na lua, homem
134	Isto precisa é de um referendo em cada esquina
137	Vidal Gorbachev Sasson
140	Eis o flagelo do Eyjafjalla
143	O país mais cristão do mundo
145	Hannah Montana: um estudo
147	O presidente de todos os ressentidos
149	Foram não sei quantos mil cineastas que tombaram pelo Chile
151	A complexa iconoclastia de Otelo
153	O príncipe desencantado
155	Orgias sexuais repletas de sexo, cópulas, coitos e fornicações
158	Conto de Natal
162	Felizes 365 dias a contar a partir de agora
165	Balanço de uma década

Ó TU QUE
E-FUMAS

É de noite e chove. Humphrey Bogart vê partir o avião onde viajam a Ingrid Bergman e o outro senhor que é muito digno e muito chato, como todos os senhores muito dignos. Bogart puxa uma última fumaça do seu cigarro e depois guarda-o no bolso, porque quando chegar a casa vai recarregar-lhe a bateria de lítio usando para tal um carregador de 220 volts ou um simples cabo USB. Fim.

Felizmente, esta cena nunca aconteceu. É verdade que Bogart perde a rapariga para sempre, mas esse acabou por ser um pequeno preço a pagar pelo benefício de conseguir mandar o chato para bem longe de Marrocos. Há momentos em que um homem tem de sacrificar a sua vida para bem da comunidade.

A diferença é que Bogart estava a fumar um tradicional cigarro de papel e tabaco, dos que causam habituação e instilam alcatrão e nicotina no organismo.

Não tinha um dos novos e-cigarros eletrónicos que a Organização Mundial de Saúde não sabe ainda se causam habituação e instilam alcatrão e nicotina no organismo. Não, Bogart nunca chupou um aparelho a pilhas, no que se distingue, aliás, de boa parte dos atores de Hollywood. Mas nem a pressão dos pares o fez vacilar. Nunca acendeu um circuito eletrónico, nunca inalou microchips, nunca fumou um eletrodoméstico.

Morreu de cancro no esófago, claro, que os cigarros a sério não brincam, mas deixou a todos a certeza de que mais depressa fumava um computador de mesa do que um e-cigarro.

Embora não haja ainda a certeza de que o e-cigarro seja menos prejudicial à saúde do que o cigarro tradicional, a nossa sociedade parece indicar que, quando posta perante o nocivo e o ridículo, opta pelo ridículo. Trata-se de uma escolha deplorável.

Creio que a invenção do e-cigarro é, além disso, uma manifestação do ódio crescente que a nossa sociedade vem dedicando ao papel. Um cronista deve pronunciar-se regularmente sobre aspetos da nossa sociedade que escapam aos seus contemporâneos, e eu já não refletia sobre a nossa sociedade há alguns meses. Reparem: deixamos de comprar jornais em papel porque podemos lê-los no iPad e deixamos de comprar livros em papel porque podemos lê-los no iPad. Receio que a Apple esteja a trabalhar numa aplicação para limpar o rabo, para que possamos dispensar também definitivamente o papel higiénico. Não contem comigo. Humphrey Bogart nunca aproximaria um aparelho a pilhas do rabo, no que se distinguia, aliás, de boa parte dos atores de Hollywood.

[14]

AH, A MINHA S. SEBASTIÃO DA PEDREIRA NATAL...

Nutro sincero fascínio por quem se orgulha do sítio em que nasceu. Pessoalmente, tenho dificuldade em orgulhar-me das coisas que me acontecem por casualidade e, como disse Fernando Pessoa, o lugar onde se nasce é o lugar onde mais por acaso se está. É certo que Pessoa bebia bastante, mas o conselho da prevenção rodoviária é "Se conduzir, não beba", e não "Se inventar aforismos sobre o sítio de que é natural, não beba". Julgo que não é por acaso.

Não é que não haja motivos para uma pessoa se orgulhar de ser de Lisboa. À primeira vista, porém, parece que não há. Julgo que é unânime que a melhor coisa que Lisboa tem é a luz. No entanto, o modo particular como o sol brilha sobre uma cidade dificilmente será motivo de orgulho. Mais: se a luz é o melhor, quer dizer que aquilo que ela ilumina não é particularmente digno de nota. Por outro lado, contudo, é fácil simpatizar com Lisboa. Parece que, no terramoto de 1755, várias igrejas ficaram destruídas. Mas a rua dos lupanares, ao que

[15]

dizem os historiadores (que, aliás, deviam dar mais atenção aos lupanares), ficou intacta. Há que respeitar uma cidade em que isto acontece.

Mas, para mim, o principal motivo de orgulho em ser lisboeta é outro, e mais importante: se alguém disser mal de Lisboa, nenhum lisboeta se aborrece. Isto parece-me precioso. Se eu fizer um comentário negativo acerca de qualquer localidade portuguesa, no dia seguinte recebo centenas de cartas de cidadãos indignados. Não tenho o direito de dizer que determinada aldeia de Trás-os-Montes é atrasada. Há imprecisões infames nas minhas opiniões sobre o Carnaval de Torres Vedras. E a minha perspetiva sobre as vacas da Ilha Terceira é um escândalo. Mas se eu fizer meia dúzia de críticas à cidade de Lisboa, mesmo que sejam injustas, o meu carteiro bem pode dormir até mais tarde, que ninguém se incomoda a escrever-me. É significativo. Não sei bem de quê, mas é.

Eu, como boa parte da população de Lisboa, nasci em S. Sebastião da Pedreira. Já lá passei duas ou três vezes e confesso que não senti grande coisa. Não me vieram as lágrimas aos olhos. Não me apeteceu escrever poemas. Não me incomoda que o resto do país desconheça onde fica S. Sebastião da Pedreira, quantos habitantes tem a freguesia, ou quais são as tradições locais, se é que há algumas. Trata-se de um sítio, e é tudo. O facto de eu lá ter nascido, como seria de esperar, não transformou a localidade num lugar especial. Assim é que é bonito. O sítio em que nasci é verdadeiramente banal. Não o trocava por nenhum outro.

EU SOU SINCERO: NÃO APRECIO SINCERIDADE

Talvez o leitor já tenha reparado num flagelo que assola a sociedade portuguesa. É o flagelo da sinceridade. Há um número alarmante de pessoas para quem a sinceridade é um atributo estimável. Tanto que, segundo tenho testemunhado com cada vez maior frequência, anunciam a despropósito e sem pudor a sua própria sinceridade, normalmente antes de uma observação desagradável. Funciona assim: "Eu sou sincero: essa camisa fica-lhe mal." Como é evidente, o proprietário da camisa fica duplamente amesquinhado: não só está mal vestido, como se encontra junto de uma pessoa sincera. Os nossos defeitos parecem ainda piores quando estamos na presença de alguém que é tão obviamente virtuoso. As pessoas com quem me dou sabem bem o que é carregar esse fardo.

É interessante reparar no modo como o autor deste tipo de frase é, em geral, atormentado pela sua própria nobreza de caráter. Outras pessoas teriam a desonestidade de elogiar aquela camisa, ou fariam um silêncio igualmente condenável. O sincero não pode, uma vez que é sincero. Não é desagradável, nem impertinente, nem descortês. É sincero. No fundo, o que está a dizer é: "Não há nada a fazer. Eu bem me esforço para não ser tão moralmente irrepreensível, mas não consigo. É a mais elevada dignidade que me obriga a dizer-te que tens mau gosto."

No entanto, tenho dificuldade em entender que ser sincero seja uma qualidade. Dizer o que se pensa não tem nada de admirável. Penso eu. É fácil (e todos sabemos que o caminho para a virtude é intrincado), revela sobranceria (que têm as minhas opiniões de tão especial para que eu me sinta no dever de as comunicar aos outros?), e é muitas vezes desagradável (os meus pensamentos são, na esmagadora maioria das vezes, de uma inconveniência assinalável). Creio, aliás, que a vida em sociedade se baseia precisamente na nossa maravilhosa capacidade de não revelar o que pensamos. Sim, eu acho que determinada senhora é gorda, mas não lho vou dizer, sobretudo se ela mo perguntar. Claro que o odor corporal de certo indivíduo é desagradável, mas ninguém me convence de que eu serei uma pessoa melhor se lhe disser: "Eu sou sincero: o senhor cheira a táxi."

O problema, creio, é que a nossa sociedade está erradamente convencida de que a autenticidade é um valor que se deve prezar. "Sê tu mesmo", ouvimos a toda a hora. "Tu deves ser igual a si próprio", dizem-nos também. São, como é óbvio, maus conselhos. Vamos tentar ser um pouco melhores que isso, digo eu. Só se eu fosse parvo é que seria igual a mim próprio. Trata-se de um caminho que não me levaria a lado nenhum. Por que razão devo ser eu mesmo se, com algum empenho, posso tentar ser uma pessoa decente? Não me choca que Shakespeare e Bach tenham passado pela vida a tentar ser eles mesmos, mas é melhor para o mundo que eu e, por exemplo, Charles Manson, tentemos ser diferentes de nós próprios.

Eu sou sincero: vou continuar a ser dissimulado.

UM CASAMENTO E UM FUNERAL, PASSE A REDUNDÂNCIA

É uma regra conhecida por todos os leitores e cinéfilos: as comédias acabam em casamento, as tragédias acabam em morte. O que não tem cessado de surpreender os académicos é a circunstância de as comédias terem, tradicionalmente, o desfecho mais trágico: a morte, muitas vezes (se não todas), acaba com o sofrimento; o casamento dá-lhe início. A morte é a morte e acabou--se; o casamento é mais cruel: é como uma doença. Daí a expressão "contrair matrimónio". Estar casado é uma condição que se contrai, como um vírus. O facto de o Código Penal de alguns países prever a condenação à pena de morte mas não a condenação ao casamento tem intrigado as pessoas casadas de vários tempos e lugares. Creio que o celibato dos padres tem como objetivo fazer com que a instituição do casamento perdure: se os sacerdotes soubessem o que o casamento é, sendo homens de Deus, não teriam coragem de infligir o mesmo castigo a outro ser humano.

Uma pessoa não precisa de estar no altar para sofrer com um casamento. Assistir a um casamento consegue ser quase tão penoso como tomar parte nele. Há quem sonhe com cobras, com espaços fechados ou com ladrões. O meu pesadelo recorrente é um casal amigo a perguntar-me: "Queres ver o vídeo do nosso casamento?" Segue-se uma sensação de abismo e acordo aos gritos e a suar.

Ao que parece, contudo, há uma grossíssima fatia da humanidade que aprecia submeter-se à tortura de testemunhar casamentos de pessoas que nem sequer conhece. O que William e Kate fizeram na passada sexta-feira foi dizer ao mundo: "Querem ver o vídeo do nosso casamento?" E o mundo, em lugar de fugir aos gritos e a suar, pôs a televisão na CNN. E na BBC. E na FOX. E na RTP. E na SIC. E na TVI. E na TVE. E na RAI. E em todos os canais que estivessem a emitir na altura. Um milhão de pessoas assistiram à cerimónia em Londres. Eram 12 populares curiosos e 999 988 jornalistas.

Apesar do incompreensível entusiasmo de milhões de pessoas pelo matrimónio de dois cidadãos ingleses que não conhecem, esta semana acabou por provar uma vez mais que, quando comparada com um casamento, a morte é mais alegre. O falecimento de Bin Laden provocou festejos mais ruidosos, mais efusivos e mais vastos do que o casamento real. Vários líderes mundiais disseram que o mundo respira melhor depois da morte de Bin Laden. Mas o príncipe William já deve ter começado a sentir falta de ar.

EU,
O CENTERFOLD

Veja o leitor o que pode acontecer a um cidadão incauto. A revista *Playboy* manifestou o desejo de me entrevistar. Como todas as pessoas que não têm nada para dizer, gosto muito de ser entrevistado. Por isso, aceitei. E devo ter dado uma entrevista de tal forma sensual que a *Playboy* resolveu colocar a fotografia do meu rosto apolíneo na capa. Sim, sim: na capa. No sítio em que costuma estar uma senhora nua, estou eu sozinho. Como sempre costuma acontecer, assim que eu entro as senhoras nuas desaparecem. Sou, portanto, a capa da revista *Playboy* deste mês. Quando me fui deitar, era um pacato pai de família; quando acordei, era a Miss Dezembro. Uma coisa é eu ser um humorista; outra é a minha vida ser ridícula. Deus sabe quanto tenho tentado separar as águas, mas tem sido quase sempre em vão.

Não sei quantos leitores perdeu a *Playboy* com esta capa, mas posso garantir que perdeu um: eu não compro aquilo, de certeza. Por um lado, é óbvio que as fotografias foram submetidas ao tratamento do photoshop e outras ferramentas de correção de imagem: o meu nariz tem bastante mais celulite do que parece ali. Por outro, impressiona-me que este seja, até agora, o maior sinal de que o momento que vivemos é mesmo grave. A *Playboy*, especialista na divulgação de mulheres nuas, publica, este mês, um homem (se isto é um homem) vestido. É bem verdade que a crise não é apenas financeira — é também uma crise de valores. Esta interrupção súbita e sem aviso da exploração do corpo feminino é, evidentemente, imoral. Eu sempre gostei de explorações. E gosto mais ainda do corpo feminino, um gosto que é exacerbado pelo pouco contacto que tenho com ele. Ver-me agora envolvido na suspensão das atividades exploratórias é uma mancha de que a minha biografia não precisava.

A *Playboy* justifica o despautério com o facto de me ter elegido homem do ano, uma ofensa que 2009, por muito mau que tenha sido, não merecia. Significa isto que, no espaço de um mês, fui distinguido pela ILGA* e pela *Playboy*. O mundo homossexual e o mundo heterossexual deram as mãos e convergiram na necessidade urgente de me agraciar. Que se passa com o mundo? Homossexuais e heterossexuais têm tido, desde sempre, discordâncias, conflitos, tensões. Quando finalmente concordam, dá isto. É bom que os apreciadores da paz e da concórdia façam uma reflexão profunda sobre as ideias que defendem. O que em teoria é bonito, na prática pode ser grotesco.

* Equivalente em Portugal ao Movimento GLBT.

[23]

Resta a curiosidade de saber como vai este número da *Playboy* trilhar o seu caminho. Que mecânicos irão buscar o martelo e os pregos para pendurarem a minha entrevista na parede das suas oficinas? Que adolescentes se entusiasmarão, no recato dos seus quartos, com as minhas opiniões sobre o sentido da vida? E, a mim, sobra-me o consolo amargo de, finalmente, poder dizer que já tive intimidades com uma capa da *Playboy*.

IKEA:
ENLOUQUEÇA VOCÊ MESMO

Os problemas dos clientes do IKEA começam no nome da loja. Diz-se "Iqueia" ou "I quê à"? E é "o" IKEA ou "a" IKEA? São ambiguidades que me deixam indisposto. Não saber a pronúncia correta do nome da loja em que me encontro inquieta-me. E desconhecer o género a que pertence gera em mim uma insegurança que me inferioriza perante os funcionários. Receio que eles percebam, pelo meu comportamento, que julgo estar no "I quê à", quando, para eles, é evidente que estou na "Iqueia".

As dificuldades, porém, não são apenas semânticas, mas também conceptuais. Toda a gente está convencida de que o IKEA vende móveis baratos, o que não é exatamente verdadeiro. O IKEA vende pilhas de tábuas e molhos de parafusos que, se tudo correr bem e Deus ajudar, depois de algum esforço hão de transformar-se em móveis baratos. É uma espécie de Lego para adultos. Não digo que os móveis do IKEA não sejam baratos. O que digo é que não são móveis. Na altura em que os compramos, são um *puzzle*.

A questão, portanto, é saber se o IKEA vende móveis baratos ou *puzzles* caros. Há dias, comprei no IKEA um móvel chamado Besta. Achei que combinava bem com a minha personalidade. Todo o material de que eu precisava e que tinha de levar até à caixa de pagamento pesava 600 quilos. Percebi melhor o nome do móvel. É preciso vir ao IKEA com uma besta de carga para carregar a tralha toda até à registadora. Este é um dos meus conselhos aos clientes do IKEA: não vá para lá sem duas ou três mulas. Eu alombei com a meia tonelada. O que poupei nos móveis gastei no ortopedista. Neste momento, tenho 12 estantes e três hérnias.

É claro que há aspetos positivos: as tábuas já vêm cortadas, o que é melhor do que nada. O IKEA não obriga os clientes a irem para a floresta cortar as árvores, embora por vezes se sinta que não faltará muito para que isso aconteça. Num futuro próximo, é possível que, ao comprar um móvel, o cliente receba um machado, um serrote e um mapa de determinado bosque na Suécia onde o IKEA tem dois ou três carvalhos debaixo de olho que considera terem potencial para se transformarem numa mesa-de--cabeceira engraçada.

Por outro lado, há problemas de solução difícil. Os móveis que comprei chegaram a casa em duas vezes. A equipa que trouxe a primeira parte já não estava lá para montar a segunda, e a equipa que trouxe a segunda recusou-se a mexer no trabalho que tinha sido iniciado pela primeira. Resultado: o cliente pagou dois transportes e duas montagens e ficou com um móvel incompleto. Se fosse um cliente qualquer, eu não me

importaria. Mas, como sou eu, aborrece-me um bocadinho. Numa loja que vende tudo às peças (que, por
acaso, até encaixam bem umas nas outras) acaba por
ser irónico que o serviço de transporte não encaixe
bem no serviço de montagem. Idiossincrasias do comércio moderno.

Que fazer, então? Cada cliente terá o seu modo
de reagir. O meu é este: para a próxima, pago com
um cheque todo cortado aos bocadinhos e junto um
rolo de fita gomada e um livro de instruções. Entrego metade dos *confetti* num dia e a outra metade no
outro. E os suecos que montem tudo, se quiserem
receber.

O MEU
PROJETO

O futebol é demasiado importante para ser discutido a sério. Essa é logo a primeira. Se calhar é melhor repetir, não vá alguém pensar que houve gralha ou engano pior: o futebol é demasiado importante para ser discutido a sério. Pronto, está dito. E, no entanto, há um número cada vez maior de pessoas que pretende ter conversas sérias sobre bola. O leitor que sintonize, na rádio ou na televisão, aqueles programas de debate e faça as contas à quantidade impressionante de participantes que, escondidos num cobarde anonimato, falam de futebol e dos clubes rivais de uma forma completamente digna e respeitável. Repugnante.

Bem sei, bem sei. Esses programas de debate têm fraca credibilidade por encorajarem a participação de populares desconhecidos que não têm nada para dizer. É óbvio — diz o leitor, e com razão — que ficamos mais bem servidos com os programas de debate em que participam comentadores conhecidos e reputados que não têm nada para dizer. De acordo, mas está a deixar de haver comentadores frios e objetivos de

[28]

um lado, e adeptos sanguíneos e tendenciosos do outro. Tenho um amigo (cuja identidade não revelarei, para lhe poupar a vergonha pública) que me disse, há dias, a idiotice que se segue: "Eu sou benfiquista mas sei ver as coisas." Trata-se, como o leitor já terá percebido, de uma besta. Ou bem que se é adepto, ou bem que se sabe ver as coisas. Não quero estar aqui a gabar-me, mas eu não sei ver coisa nenhuma. Se é para ser adulto e ponderado, dedico-me à química analítica. O futebol não é para isso.

Certo adepto do Real Madrid chamado Javier Marías disse que "o futebol é a recuperação semanal da infância". E a mim ninguém ganha em criancice. Nem a mim nem a qualquer adepto decente. Nos anos 90, o Benfica teve um jogador brasileiro chamado Donizete. O meu vizinho de lugar cativo passava os jogos todos a gritar: "Donizete, não jogas nada! Tu gostas é de samba e feijão preto. Vai para casa!" Mas, nas raras (mesmo muito raras) vezes em que o Donizete marcou um golo, o meu companheiro de bancada gritava, com a mesma convicção: "Ganda Donizete! Quando é que renovam com o rapaz, pá? Esta Direção anda a dormir." Escuso de dizer que ninguém ria, ninguém apontava o dedo à volatilidade do consócio, ninguém assinalava que, para sermos rigorosos, não há mal nenhum em gostar de samba e feijão preto. O homem estava apenas a ser um adepto — e dos bons. Não merecia nada menos do que respeito.

Talvez seja importante não esquecer que quem faz do futebol aquilo que ele é não são os dirigentes nem os árbitros. E também não são, ao contrário do que se pensa, os jogadores. Quem faz do futebol futebol são os adeptos. Se não houver 60 mil maduros com vontade de se juntar, aos gritos, à volta de um retângulo de relva, o futebol deixa de ser futebol e passa a ser chinquilho. Alguém duvida que, por essas aldeias fora, haja velhinhos com tanto talento para o chinquilho como o Cristiano Ronaldo tem para o futebol? A diferença é que há menos gente interessada em ver o melhor jogo de chinquilho do que em ver o pior jogo de futebol. E também há — dizem-me, embora careça de confirmação — relativamente menos modelos inglesas na cama do melhor jogador português de chinquilho do que na do Cristiano Ronaldo.

Mas é triste constatar que nos cafés, nas empresas, nos estádios, cada vez menos gente exibe o mais pequeno sinal de facciosismo estúpido, de parcialidade irracional, de sectarismo acéfalo. É aqui que eu entro. Se tudo correr bem, podem contar comigo para o sectarismo, a irracionalidade e a estupidez. Assim Deus me ajude.

A JUSTA
MEDIDA

Permitam-me que utilize este espaço para um anúncio judicial: vou processar o sexólogo Nuno Monteiro Pereira, autor do livro *O Pénis — da Masculinidade ao Órgão Masculino*, que acaba de sair. Trata-se de um estudo científico sobre o pénis, e eu não tenho nada contra a ciência nem contra o pénis — excepto quando ambos se juntam para me dar cabo da vida. É o caso deste estudo. No livro, o dr. Monteiro Pereira revela que os homens mais altos possuem um pénis maior do que os mais baixos, e que o pénis dos magros é maior do que o dos gordos. Eu, que tenho 1,93 metros e sou escanzelado, já estava a preparar um bonito cesto de flores com um simpático cartão de agradecimento ao cientista quando constato que, na mesma obra, o dr. Monteiro Pereira discorre longamente sobre os inconvenientes do excesso de dimensão peniana. Não se faz.

A agravar tudo isto, junte-se o facto de a credibilidade do estudo ser absolutamente inatacável. Por exemplo, o dr. Monteiro Pereira revela que o comprimento médio do pénis português é de 15,82 centímetros.

[31]

Ciência é isto: rigor. Não são 16 centímetros. Não são 15,8 centímetros. São 15,82 centímetros. Temos a informação sobre os centímetros (15), os milímetros (8) e a unidade de medida que vem imediatamente a seguir aos milímetros (2), cujo nome não me ocorre neste momento, embora o meu pénis a possua. Benditos 0,02 centímetros, que se juntaram aos 15,8 e não foram deixados de fora. Dito assim, não impressiona, mas 0,02 centímetros podem fazer muito pela autoestima do pénis português. Eu sou um leigo em medição peniana (sou, aliás, um leigo em quase tudo, faz parte do meu encanto), mas não deixo de me impressionar com a precisão deste estudo. E também com a importância que o seu objeto mereceu. Neste estudo foram usados instrumentos de medição que arredondam até à centésima de centímetro. Para um objeto de estudo menos digno, uma fita métrica teria bastado.

Seja como for, este estudo pode ser, também, libertador. Sobretudo na medida em que pode salvar o homem da opressão feminina. Chega, minhas senhoras. Nós não somos apenas objetos sexuais. Somos mais do que simples caras bonitas. Possuímos um órgão sexual fascinante e até de dimensões, em média, muito aceitáveis? Possuímos, sim senhora. Mas ele é também um protagonista de tratados científicos, motivo de discussão para investigadores que, em regra, até por usarem óculos muito grossos e terem, em geral, borbulhas, se servem mais dele no âmbito da ciência do que no do lazer. Merece, por isso, mais respeito. Às vezes falha? Ouvi dizer que sim, mas há de certeza uma razão extremamente científica que o justifica.

MARIQUIZAÇÃO:
UM PROBLEMA DA SOCIEDADE CONTEMPORÂNEA

Que jovens está a nossa sociedade a formar? Se tudo correr bem, jovens responsáveis e aplicados, na medida em que serão eles que, dentro de 20 ou 30 anos, estarão a trabalhar para pagar as pensões de reforma à minha geração. Mas, e embora seja conveniente que venham a ser adultos dóceis, para trabalharem o mais possível sem protestar, haverá mesmo necessidade de lhes incutir aquilo que só pode ser designado por mariquice? Um cidadão consciente deve distinguir bem um homossexual (e a sua justa luta por direitos iguais) de um mariquinhas (que não merece respeito nenhum). São duas realidades muito diferentes, que não devem ser confundidas. Avanço com o meu próprio exemplo: não sou homossexual, mas dou por mim muitas vezes a ser um mariquinhas. Consigo, ainda assim, diagnosticar, na nossa sociedade, um excesso preocupante de mariquice.

Quando eu era jovem (que diabo, não foi assim há tanto tempo), a televisão transmitia uma imagem da polícia segundo a qual os agentes da autoridade

[33]

eram brutos afáveis — mas bastante mais brutos do que afáveis. O Kojak dava uns tabefes aos bandidos, e havia um senhor guarda em *Chumbo Grosso* que mordia. Hoje, essa imagem sofreu uma alteração grotesca. Para os jovens atuais, os polícias são agentes do CSI. O leitor já terá visto a série: os agentes gastam dez minutos de episódio a recolher pelos com uma pinça, passam horas numa espécie de esquadra irrepreensivelmente limpa a espreitar organismos num microscópio, levam uma tarde inteira a esfregar cotonetes em manchinhas de sémen que brilham no escuro.

Ao contrário dos polícias do nosso tempo, nunca apalpam as familiares das vítimas, que o regulamento não deixa. Têm conhecimentos de psicologia, física, química, botânica, biologia e anatomia. Designam os pássaros pelo nome científico, em latim. São uma espécie de superchoninhas. Enquanto os jovens de hoje acompanham com interesse as conversas sobre ADN e células epiteliais, o leitor e eu estamos a contorcer-nos no sofá à espera que um daqueles agentes dispa a bata e dê um tiro em alguém, nem que seja no médico legista.

A única altura em que os polícias do CSI seviciam uma testemunha para obter informação é quando dissecam um escaravelho qualquer que estava entretido a debicar um cadáver. Se disparam uma arma é sob condições de absoluta segurança, dentro de uma câmara insonorizada, para não aleijar os ouvidos, e só para investigar se o disparo provoca na bala determinados risquinhos iguais aos de outras balas. O mariquinhas clássico não pode ver sangue; estes não podem fazer sangue.

[34]

Tenho quase a certeza de que os saudosos bandidos de antanho não tinham epiteliais. É até duvidoso que tivessem ADN — e, se tinham, era um tipo de ADN que se recusava a fornecer informações à polícia, como é do mais elementar bom senso. O mundo precisa urgentemente de voltar a ter delinquentes mais espertos e polícias mais burros.

O COMENTADOR QUE NÃO OUSA DIZER O SEU NOME

O leitor está familiarizado com o Teorema do Macaco Infinito? Se, como eu, é tão apreciador de teoremas como de macacos infinitos, estará certamente. Mas àquele reduzido número de leitores que não têm interesse especial por proposições demonstráveis e símios eternos, posso revelar que se trata de um teorema que afirma o seguinte: se um macaco martelar aleatoriamente as teclas de uma máquina de escrever durante um tempo infinito, acabará por, quase de certeza, datilografar um texto como, por exemplo, as obras completas de Shakespeare. Não é, admito, um teorema a que se adira com facilidade. O bom senso diz-nos que o mais provável é que o macaco use os primeiros dez minutos do tempo infinito para partir a máquina de escrever e depois passe o resto da eternidade a comer bananas infinitas. Além disso, é um teorema difícil de provar, sobretudo tendo em conta a escassez de macacos infinitos — que obstaculiza o progresso científico de várias maneiras. Foi dessa frustração teórica que parti para postular o muito mais facilmente verificável

[36]

Teorema do Ser Humano Finito. Diz assim: se certos seres humanos martelarem as teclas de um computador durante um tempo que não precisa de ser infinito, acabarão por, quase de certeza, datilografar um texto que exprime opiniões próprias de um macaco. A experiência decorre, com um sucesso assinalável, nas caixas de comentários dos jornais *on-line*.

Enquanto o fenómeno aguarda a atenção de coprologistas abalizados, é possível a qualquer leigo identificar dois padrões particularmente salientes: primeiro, o fascínio que as caixas de comentários exercem sobre os primários, os ressentidos e, sobretudo, sobre os primários ressentidos; segundo, o modo como essa sedução se acentua quando se trata de notícias de crimes. Neste caso, os comentários variam pouco, ao passo que o seu destinatário varia bastante: "Pena de morte para gente desta em Portugal, já!" é a opinião mais popular, mas pode dirigir-se ao criminoso ou à vítima, se esta for homossexual.

Embora os energúmenos, individualmente considerados, não obtenham a atenção e o respeito de ninguém, enquanto grupo parecem merecedores de reflexão. Um estúpido, quando associado a outros estúpidos iguais, faz pensar. Foi o que aconteceu agora, a propósito dos comentários sobre a morte de Carlos Castro*. A existência de um número razoavelmente vasto de cavernícolas cibernéticos provaria que a lei do casamento entre pessoas do mesmo sexo, por

---

* Cronista do *jet-set* português, violentamente assassinado num quarto de hotel em Nova Iorque pelo namorado Renato Seabra, um jovem modelo nascido em Cantanhede.

exemplo, seria desadequada à sociedade em que vivemos. Mas, se aquele grupo indefinido de primatas anónimos é, seja de que maneira for, representativo da nossa sociedade, é possível que todas as leis sejam desadequadas, com a única exceção da nunca regulamentada lei da selva. De igual modo, a manifestação de solidariedade para com um adulto que confessou um homicídio especialmente cruel, levada a cabo por 400 cantanhedenses, foi pretexto para concluir que a nossa legislação talvez esteja desfasada do sentir do bom povo. No entanto, segundo a Associação Nacional de Municípios, Cantanhede tem uma população de 38 920 habitantes. Significa isto que 38 520 cidadãos — ou seja, 98,9% da população — ficaram em casa. Parece-me uma percentagem bastante eloquente. Ainda assim, sou sensível à opinião da ínfima minoria e não ficaria chocado se fossem feitos alguns acertos legislativos: manter-se-iam em vigor as leis atuais para quem vive em Cantanhede hoje, e retomava-se o articulado da Carta de Foral para regular a atividade de quem vive na Cantanhede medieval.

NOBODY EXPECTS THE PORTUGUESE WINTER

Todos os anos, Portugal é surpreendido duas vezes: uma vez pelo verão e outra pelo inverno. Nunca estamos à espera deles. Para o resto do mundo, a natureza é cíclica, monótona e repetitiva. Para nós, é uma caixinha de surpresas. "Olha, lá vem o verão outra vez. E não é que traz novamente muito calor, este bandido? Se calhar devíamos ter feito uma limpeza às matas. Ops!, tarde demais, já está tudo a arder." No inverno, a mesma coisa. "Olha, lá vem o inverno outra vez. E não é que traz novamente muita chuva, este bandido? Se calhar devíamos ter feito uma limpeza às sarjetas. Ops!, tarde demais, já está tudo alagado." E assim sucessivamente.

Nunca cansa. E, no entanto, imagino que os jornalistas usem sempre a mesma notícia. Há dois ou três pormenores que mudam, como a marca dos helicópteros que combatem o fogo ou o número de viaturas que são arrastadas pela enxurrada, mas o resto é igual: "Violento incêndio ali", "Fortes chuvas acolá". Até os adjetivos que qualificam as catástrofes são previsíveis:

os incêndios são quase todos violentos e é raro as chuvas serem outra coisa que não fortes. Não há memória de fortes incêndios e violentas chuvas, por exemplo. Mas não é por isso que deixamos de receber as notícias com renovada surpresa. Temos dificuldade em acreditar que ainda não foi desta que a chuva deixou de causar os estragos próprios da chuva. É verdade que, este ano, a chuva deu novamente cabo das estradas e voltou fazer vítimas, mas pode ser que, para o ano, chova mais civilizadamente. Todos os anos damos uma oportunidade à chuva. E, por um lado, ainda bem.

Não sei se consigo imaginar Portugal sem as calamidades. As calamidades ajudam-nos a organizar a vida. São pontos de referência. "Quando é que mudámos de casa? Foi depois dos incêndios de 91, porque eu já tinha o Citroën que foi levado pelas cheias de 94, mas ainda não tinha ficado sem a perna esquerda, que foi ao ar nos incêndios de 92." Se as autoridades competentes começam a varrer as matas e a limpar as sarjetas, deixamos de ter a noção da passagem do tempo. Ainda vamos ter de comprar uma agenda. Com as calamidades, é dinheiro que se poupa.

E não só. Há gente cuja vida tem sido salva pelas calamidades. Gente que sobreviveu às cheias de 87 porque ainda estava no hospital a recuperar dos incêndios de 86. Gente que se salvou dos incêndios de 99 porque ainda tinha a casa alagada pelas cheias de 98 e usou a água para combater as chamas. Enfim, gosto da esfera armilar na nossa bandeira. Mas uma sarjeta entupida, entre o vermelho e o verde, também não ficava mal.

O SR. DEPUTADO
TIRIRICA
PEDE A PALAVRA PARA DEFESA DA HONRA

O povo brasileiro foi às urnas e elegeu um palhaço para a Câmara dos Deputados. "Que sorte. Só um?", pergunta o leitor. Pronto. Está visto que o leitor é dado à demagogia. Pois bem, comigo não conta para esse tipo de brincadeira. Não tenho nada contra a demagogia, note-se. Mas nem toda a demagogia tem aquela qualidade que eu exijo às manipulações e aos logros. Há a demagogia bonita e sensata, que compara os deputados com gatunos e outros profissionais da mesma área de atividade, e há a demagogia disparatada, que estabelece um paralelo absurdo entre deputados e palhaços. Sem querer ser corporativista, creio que os palhaços não merecem o desaforo.

A generalidade dos analistas políticos brasileiros tem dito que a eleição de Tiririca deve ser vista como o resultado de um voto de protesto. Já que o Congresso brasileiro é um circo, terá raciocinado o povo, vamos eleger um palhaço. A ser verdade, o povo raciocinou de um modo extremamente preconceituoso. Desde quando, numa democracia, há ofícios que não

[41]

devem ter lugar num Congresso — a não ser por brincadeira? Que têm um canalizador, um eletricista e um gestor de empresas que os recomende mais para desempenharem o cargo de deputado do que um palhaço? No que toca a profissões, creio que a democracia não deve discriminar. Pessoalmente, acredito que até advogados devem poder ser eleitos sem remorso dos eleitores. Não, o prestígio social de determinada profissão não tem qualquer influência na capacidade dos titulares de cargos públicos. É preciso não saber como governam os engenheiros para pensar que a eleição de um palhaço pode provocar sarilhos divertidos que ponham em causa o bom funcionamento do sistema.

Não é possível saber ao certo até que ponto o que se diz do deputado Tiririca corresponde à verdade ou não passa de um conjunto de calúnias destinadas a apoucar um desgraçado. Uma das acusações que lhe fizeram foi a de que não saberia ler nem escrever. É velha e conhecida a estratégia de atacar a falta de habilitações literárias dos candidatos, e Tiririca, certamente por inexperiência, não teve a audácia de apresentar um diploma, mesmo que tivesse sido obtido, por exemplo, num domingo — o que daria, aliás, uma boa piada. Mas, de facto, a suspeita de que Tiririca não lê é legítima. Pelo menos, sabemos que não lê a imprensa portuguesa. Se o fizesse, perceberia que o seu *slogan* não faz sentido: "Vota Tiririca, pior do que está não fica." Bastava-lhe ter lido uma ou duas notícias de um jornal português para perceber que é perfeitamente possível um país ficar pior do que o Brasil está neste momento.

PORTUGAL, RABEJADOR DA EUROPA

Quando eu nasci, Portugal estava na cauda da Europa. Veio o PREC, e Portugal continuou na cauda da Europa. Depois chegou alguma estabilidade, e aí Portugal continuou na cauda da Europa. Entrámos na CEE, e permanecemos na cauda da Europa. Vieram os governos de Cavaco Silva, mais os milhões comunitários, e — então sim — Portugal continuou na cauda da Europa. Nisto, o PS voltou ao poder. E Portugal manteve-se na cauda da Europa. A seguir, o PSD regressou ao governo. E Portugal na cauda da Europa. Depois, mais governos do PS até hoje. E Portugal firme na cauda da Europa. Onde fica Portugal? Na cauda da Europa. Não se sabe que bicho é a Europa, mas lá que tem uma cauda é garantido. E não há dúvidas nenhumas de que Portugal está nela sozinho.

Nem sempre foi assim. No princípio, Portugal estava na cauda da Europa acompanhado. Nos anos 70, Espanha estava taco a taco connosco na cauda. Ora valia mais o escudo, ora valia mais a peseta. Primeiro, nós íamos ao El Corte Inglés fazer compras baratas.

[43]

Entretanto, o El Corte Inglés veio para cá fazer vendas caras. De repente, os espanhóis meteram uma abaixo e começaram a galgar pela Europa acima — e nós ficámos na cauda com a Grécia. Nisto, os gregos também amarinharam. Abriu-se a União Europeia a países que estavam igualmente na cauda, como a Irlanda, e todos foram abandonando a cauda a caminho, suponho, do lombo da Europa.

Como se explica este fenómeno da nossa longa estada na cauda da Europa? Creio que só pode ser uma opção. E, sendo uma opção, tem de ser estratégica. É muito raro uma opção não ser estratégica. Já tivemos vários governos e regimes, e todos, sem exceção, optaram por nos manter na cauda. Deve haver um plano. Outros países, que não têm coragem de permanecer na cauda, foram avançando para a garupa. É lá com eles. Mais fica de cauda para nós.

A verdade é que alguém tem de ficar na cauda. E, no que diz respeito a caudas de continentes, a estar nalguma que seja na da Europa. Temos a experiência, o talento e, pelos vistos, a vocação para estar na cauda. Seria uma pena desperdiçar décadas e décadas de prática. Será sensato que um país com o tamanho do nosso se aventure para fora da cauda da Europa? É importante não esquecer que é com a cauda que se enxotam as moscas. E que a cauda consegue enxotar tudo, menos o que está na cauda. Os pessimistas dirão: temos o último lugar garantido. Os otimistas hão de notar que, ao menos, é um lugar. E que está garantido. Já não é nada mau.

[44]

I LOVE YOU, MÚSICA PORTUGUESA

Temo não saber inglês suficiente para compreender a música portuguesa. Não quero parecer velho, mas ainda sou do tempo em que a música portuguesa era cantada em português. Lembro-me bem dessa altura em que um aspirante a cantor conseguia pegar numa guitarra sem começar a verter as suas canções para uma língua que os turistas entendessem. Era estranho, claro. Gente portuguesa a exprimir-se em português sempre me fez confusão. Trata-se de um idioma bastante limitado, que restringe as possibilidades de expressão dos seus falantes, e portanto não admira que haja quem se veja forçado a recorrer à língua inglesa quando se trata de transmitir pensamentos realmente sofisticados, tais como "I love you, baby", "Please forgive me, baby", "Don't break my heart, baby" ou "Yeah, baby, you are my baby".

Não posso, no entanto, deixar de notar que ainda há um longo caminho para percorrer. Neste momento, os artistas portugueses que cantam em inglês ainda estão condenados a dar entrevistas em português.

Como é evidente, fazem falta jornais portugueses escritos em língua inglesa — ou, pelo menos, jornais portugueses que, embora fazendo perguntas em português (se querem mesmo insistir nesse capricho), permitam que as respostas possam ser dadas em inglês. Caso contrário, prosseguirá esta violência desumana que consiste em forçar cidadãos a exprimirem-se na sua própria língua. Creio que há um ou dois artigos na Declaração Universal dos Direitos Humanos que censuram essa prática.

Felizmente, nem tudo joga contra os músicos portugueses que cantam em inglês. Por coincidência, a língua na qual eles se sentem mais à vontade é falada internacionalmente. Isso pode evitar-lhes embaraços parecidos com os que sempre afligiram os músicos portugueses com mais projeção lá fora. Todos nos lembramos dos concertos da Amália, sistematicamente interrompidos por espectadores que diziam: "Amália, what are you doing? Please sing in English! We don't understand you!" Para não falar do caso dos Madredeus, obrigados a tornar as suas letras mais acessíveis ao público estrangeiro ("À porta, I love you baby, daquela igreja, I miss you baby, vai um grande corrupio").

O meu único receio é que este desamor à língua portuguesa e a ideia de que ela pode prejudicar o nosso ofício tenham deflagrado no mundo da música e se propaguem a outras profissões. Que, por exemplo, um número considerável de canalizadores decida passar a consertar torneiras em inglês, para facilitar uma eventual carreira internacional, ou apenas porque tem mais estilo. "Let me unclog your toilet, baby!" Enfim, não é o tipo de conversa que gostaria de ter com um canalizador. Embora reconheça que a frase talvez desse uma excelente música portuguesa.

I LIKE
TO PRESS
TRANSGENIC
FLOWERS

Cem ativistas contra os organismos geneticamente modificados destruíram um hectare de milho transgénico. Eles dizem que foram provocados; o milho garante que estava sossegado. Não interessa. Digamos que não foi a atitude mais inteligente do mundo. De facto, há razões para temer que os alimentos transgénicos possam ser perigosos, embora a comunidade científica não chegue a um consenso definitivo sobre a matéria. No entanto, quem já viu dois ou três cientistas percebe que a comunidade científica é composta por pessoas cuja vida sexual é tão pouco ativa que é perfeitamente natural aquela gente andar sempre rabugenta e não chegar a consensos definitivos sobre coisa nenhuma. O certo é que o campo de milho daquele agricultor era legal. Nessa medida, protestar contra os transgénicos destruindo a plantação de um desgraçado é tão inteligente como ir a uma estrebaria espancar uma mula. Digo mula porque, sendo produto do amor entre um cavalo e um burro, acaba por ser um bicho transgénico. (Curioso:

[48]

andam os cientistas a investir em formação superior para conseguir misturar genes de espécies diferentes, e um cavalo e uma burra sem frequência do ensino secundário conseguem fazê-lo em dez minutos. Por outro lado, há um mito bastante persistente segundo o qual um bom número de pastores tem tentado, ao longo da história, a transgenia, mas sem sucessos registados. Alguma ciência aquilo deve ter.)

Dois factos foram especialmente impressionantes neste protesto. Um: os vândalos apresentaram--se com a cara tapada, fazendo lembrar terroristas (há quem designe a iniciativa como ecoterrorismo, embora seja possível reconhecer nela algumas características de ecoparvoíce). Mas, em vez de se dedicarem a raptar pessoas ou a explodir edifícios (as atividades nobres que constituem, no fundo, o topo da carreira do terrorista), estes terroristas andam a correr pelos milheirais. Encontram-se vestidos de vilão, o que deveria impor respeito, mas na verdade estão a bater em ervas, o que é ridículo. "Ai, não gosto nada destas plantas. Força, companheiros, deem cabo dessa funesta maçaroca enquanto eu esfiapo estes caules todos." Mais do que uma ofensiva ao milho transgénico, este protesto é um ataque à figura do terrorista como último reduto da masculinidade mais bruta. Se o terrorista a sério atua sob a promessa de 71 virgens que o aguardam no Paraíso, o ecoterrorista, em caso de morte (pode cortar acidentalmente a jugular numa folha de milho, que aquelas marotas são afiadas), fantasia com 71 saladas de aipo, à sua espera no Céu.

Dois: uma pesquisa na internet permitiu-me ver imagens do acampamento em que alguns destes ativistas estavam instalados, a comungar com a natureza. Primeiro, sou contra estas comunhões. A natureza sabe ser muito desagradável. E um ambientalista que não seja hipócrita, se deseja comungar com o pôr-do-sol, terá de comungar também, e com o mesmo entusiasmo, com as melgas — que são tão natureza como o sol a pôr-se. Segundo, pelo aspeto de alguns dos ambientalistas presentes constatei uma vez mais que o amor pela natureza anda, o mais das vezes, de mãos dadas com o desprezo pela higiene pessoal. Portanto, e resumindo: acredito que os transgénicos façam mal, e por isso estou solidário com a causa. Mas discordo dos métodos e, pressinto-o, também discordo do cheiro. Haja um ambientalista que me explique o que há a fazer para lutar contra os transgénicos e eu alinho. Especialmente se não der muito trabalho. Mas ele que me apareça com uma camisa lavada.

SER DO
BENFICA:
MANUAL DE
INSTRUÇÕES

O Benfica tem boas hipóteses de ser campeão este ano, e eu confesso que não consigo pensar noutra coisa. Devo acrescentar que, mesmo quando o Benfica não tem hipóteses nenhumas de ser campeão, eu não consigo pensar noutra coisa. Mas estou longe de ser um fanático, atenção. Detesto fanáticos do Benfica. São insuportáveis. Os fanáticos acham que o Benfica é o melhor clube do mundo. Um benfiquista a sério pensa de outro modo: não é uma questão de achar; nós *temos a certeza* de que o Benfica é o melhor clube do mundo. Os fanáticos são uns maricas.

Um benfiquista a sério continua a acreditar na conquista do campeonato mesmo quando já é matematicamente impossível. Porque é que há de ser a matemática a ditar a possibilidade de se ser campeão? Porque não a literatura? O título pode ser matematicamente impossível mas, ainda assim, literariamente possível. O que impede uma equipa que esteja a liderar o campeonato num determinado momento de abdicar do título a favor do Benfica, por ser a equipa que

[51]

pratica o melhor futebol e veste o equipamento mais bonito? Nada.

Um benfiquista a sério tem aspirações irrealizáveis. Um sportinguista a sério quer que a equipa do Sporting jogue bem. Um portista a sério quer que a equipa do Porto seja aguerrida. Um benfiquista a sério quer que a equipa do Benfica seja "o Benfica". E ser "o Benfica" é quase impossível — especialmente para o Benfica. Isto porque um benfiquista a sério é seriamente doente. O Benfica bem pode ganhar um jogo por quatro ou cinco, que nós saímos da Luz a dizer: "Não jogamos nada, pá." Isto é, evidentemente, um elogio. É por isto que nós somos o Benfica. Não nos contentamos com sermos os maiores. Sabemos que podemos ser ainda melhores do que aquilo. Podemos ser "o Benfica". E temos todas as condições para sê-lo, uma vez que, curiosamente, já somos o Benfica. Não sei se me faço entender. É provável que não. Eu próprio estou um bocado à nora.

Um benfiquista a sério é um benfiquista a sério. Não é simpatizante do Benfica. O Benfica não desperta sentimentos menores, como a simpatia. Só gera de amor para cima. E é um amor exclusivo. Lembro-me de, um dia, ter tido esta conversa com o meu pai:

Ele: Más notícias, filho. Quando vínhamos para casa, a seguir ao empate do Benfica, a tua mãe caiu e partiu os dois braços e as duas pernas.

Eu: Eh pá, não acredito. O Benfica empatou?

Claro que isto nunca aconteceu. É um exagero que eu uso aqui com fins estilísticos. A minha mãe tinha partido os dois braços mas só uma das pernas. Estava ótima. Apesar disso, este tipo de atitude tem-

-me causado dissabores ao longo da vida. Eu sei perfeitamente que nunca serei o filho preferido da minha mãe. E eu sou filho único, portanto vejam bem o que isto faz a uma pessoa.

UMA BUGIGANGA PARA O SÉCULO XXI

De acordo com os últimos dados, mais de 20 mil portugueses já adquiriram a milagrosa pulseira que todos os estudos científicos dizem não funcionar. Não admira. De que serve um estudo científico se a pulseira é ainda mais científica? Um dos responsáveis pela distribuição da pulseira em Portugal revelou ao jornal *Correio da Manhã* que o segredo está nos "dois hologramas quânticos embebidos numa frequência com iões negativos" que vão "estabilizar a nossa frequência". Quando o jornal confrontou um professor de Física da Universidade de Coimbra com esta explicação, aconteceu o habitual: obviamente invejoso por nunca ter embebido hologramas em iões, o professor disse que aquele paleio pseudocientífico não fazia qualquer sentido. Infelizmente, na comunidade científica é sempre assim: bem podem as pulseiras reluzir nas montras, com os hologramas ainda a pingar iões, que haverá sempre alguém a negar que as nossas frequências possam ser estabilizadas pelas frequências quânticas. A desfaçatez!

[54]

Dito isto, devo, no entanto, confessar que sou moderadamente cético quanto às capacidades da pulseira. Não digo que a pulseira do equilíbrio não provoque bem-estar. O que digo é que provoca mais em quem a comercializa do que em quem a usa. Creio que, se a pulseira do equilíbrio produzisse, de facto, equilíbrio, assim que o seu proprietário a colocasse no pulso pensaria: "Espera aí, acabei de dar mais de 30 euros por uma argola de borracha. Percebo agora que não foi uma decisão particularmente equilibrada. Vou à loja tentar recuperar o dinheiro." No entanto, é falso que a pulseira não produza qualquer efeito. Quem a usa passa a empenhar-se numa espécie de proselitismo gratuito, informando os amigos dos benefícios de andar com coisas quânticas ao dependuro. E é possível que a energia despendida nesta tarefa produza efeitos saudáveis, uma vez que explicar um processo fantasioso através de palavras que não se compreendem constitui um esforço notável.

Pela minha parte, começo a sentir alguns efeitos da pulseira mesmo não a tendo adquirido. A admiração que nutro pelo fenómeno levou-me a agir de um modo que, segundo creio, não tardará em produzir melhoras na minha qualidade de vida. O meu plano é encomendar 50 mil anilhas para pombos a dez cêntimos cada. Depois, mergulhá-las num caldo de iões tão quânticos quanto me for possível, e vendê-las a 30 euros a unidade sob a designação de "O Anel da Temperança". E, anualmente, renovar o *stock* de charlatanice quântica com novidades. O Colar da Constância, os Brincos da Estabilidade

[55]

e A Gargantilha da Harmonia garantir-me-ão, acredito, negócio para a próxima década. Estejam atentos.

SERÁ OBAMA O ANTICRISTO? DEUS QUEIRA QUE SIM

Uma pesquisa no Google com as palavras-chave "Obama" e *"antichrist"* devolve mais de um milhão e meio de resultados. Não é, como sabem, a pesquisa mais interessante que se pode fazer na internet, mas revela um dado curioso: há uma boa quantidade de gente convencida de que o atual presidente dos Estados Unidos é o Diabo. O facto de a pesquisa com as palavras-chave "Michelle Obama" e *"butt"* devolver cerca de 14 milhões de resultados demonstra, por outro lado, que o mundo ainda não perdeu a noção daquilo que verdadeiramente interessa na vida. No entanto, nesta página eu prefiro deter-me nas pequenas coisas simples da existência, e portanto gostaria de investigar a hipótese de Barack Obama e o demónio serem uma e a mesma pessoa.

Para mim, que sou ateu, tal hipótese seria, em princípio, absurda. No entanto, embora não acredite em Deus, estou mais ou menos convencido da existência do Diabo. Claro que não acredito em todo aquele folclore que rodeia Belzebu. O inferno, por exemplo,

[57]

parece-me muito implausível. Seria, creio, bom demais para ser verdade: um sítio em que os maus assam ao lume durante toda a eternidade é uma ideia, infelizmente, utópica. Eu sinto dificuldades em fazer boas brasas para assar meia dúzia de sardinhas durante uma hora. Manter um braseiro por toda a eternidade é, evidentemente, um sonho impossível. Mas mantenho em aberto a hipótese da existência do Diabo, sobretudo quando constato que o mundo está cheio de maldade, de dor, e que o Benfica não ganha o campeonato desde 2005.

Quando, há dias, Obama foi ao Egito fazer um discurso que agradou tanto a judeus como a muçulmanos, a tese de que o presidente americano é Satanás ganhou força. Talvez este homem seja, de facto, o anticristo responsável pelo apocalipse, na medida em que parece capaz de acabar com o mundo tal como o conhecemos. Aparentemente, está interessado em trocá-lo por outro melhor, mas não deixa de destruir o nosso. Obama já tinha tornado claro que o nosso sistema de preconceitos, que era tão fiável e seguro, estava pervertido. Um respeitável senhor branco de alguma idade como Bernard Madoff roubou-nos a todos e deu cabo da economia, e um negro relativamente jovem deseja endireitá-la outra vez. Confesso que já não sei quem hei de temer quando passo por um beco escuro.

Na semana passada, Obama pôs judeus e muçulmanos de acordo só com um discurso. A partir de agora, a questão não é saber se os dotes de oratória de Obama conseguirão fazer com que judeus e muçulma-

[58]

nos façam as pazes e se sentem à mesma mesa a comer. A questão é saber se Obama vai conseguir convencê--los a comer bifanas.

Feitas as contas, o mundo acabou por ter sorte com a eleição de Obama. Não por ele ser presidente dos Estados Unidos, mas porque assim não foi para técnico de vendas. Imaginem a catástrofe que poderia ter acontecido se a indústria do *time-sharing* deitasse a mão a este homem.

Levando tudo isto em consideração, não deixa de ser curioso que "Obama+anticristo" produza um milhão e meio de resultados e "Sócrates+anticristo" gere apenas 35 mil. Mas os caminhos do Demo são misteriosos.

SÃO STEVE JOBS

A vida de Steve Jobs mudou o mundo, mas a sua morte mudou-o ainda mais. Os zingarelhos que inventou são bonitos, divertidos, e alguns chegam mesmo a ser úteis. Mas nenhum deles causou um impacto tão profundo como o desaparecimento do seu autor. Antes da morte de Steve Jobs, vivíamos no mundo antigo; agora, vivemos no futuro. Sabemos que se trata do futuro porque é absolutamente inesperado: ninguém, nem a ficção científica mais imaginativa, o conseguiu prever. Quando eu nasci quase não havia informáticos. Depois passou a haver, mas ninguém os queria para líderes espirituais. Agora, quando um informático morre, o mundo chora. Nenhuma espécie evoluiu mais depressa que a dos informáticos: em pouco mais de 30 anos, passaram de programadores a profetas.

Sempre achei que o filme *Matrix* não era especialmente fantasioso no enredo. *Matrix* era ficção científica porque nenhum daqueles informáticos era totó. Neo, Trinity e Morpheus eram três especialistas em computadores, e no entanto nenhum deles tinha

[60]

borbulhas ou usava óculos. Era um primeiro sinal de que o mundo estava a mudar. *Matrix* não era um aviso de que o mundo do futuro ia ser dominado por máquinas, era um aviso de que o mundo do futuro ia ser dominado por informáticos. Era uma previsão ainda mais inquietante, porque nenhum de nós, no liceu, escarneceu de uma máquina. Mas que atire a primeira pedra quem nunca fez pouco do colega que gostava de falar sobre cobol.

Confirmou-se: hoje, tudo o que tem pinta e é perigoso é feito por informáticos. Se um jovem quer ser milionário, fará bem em estudar informática, como Bill Gates. Se quer que a sua vida dê um filme, fará bem em estudar informática, como Mark Zuckerberg. Se quer ser pirata, fará bem em estudar informática, como os *hackers*. E se quer fundar uma semirreligião, fará bem em estudar informática, como Steve Jobs.

Quando, há dias, se soube que o Papa tinha usado o seu iPad para publicar um *tweet*, percebemos duas coisas. Primeiro, que é possível publicar *tweets* no Tweeter com um iPad, enquanto se ressalva: "Sim, mas isso do preservativo são modernices." Segundo, que a religião secular criada por Steve Jobs era olhada com benevolência pela outra, o que também era surpreendente por duas razões. Uma: porque neste tipo de negócio a concorrência não costuma ser apreciada. Duas: porque Deus costuma ficar muito irritado quando vê uma maçã trincada. A Apple tem de ser mesmo muito encantadora, para seduzir o Vaticano.

CONTRA O CORTE CEGO DA CONSOANTE MUDA

Estou a ficar velho, mas a culpa não é minha. O corpo cria poucos cabelos brancos, ainda menos rugas e quase nenhuma pança, e a mente consegue manter-se imatura sem esforço nenhum. Estou a ficar velho por causa do acordo ortográfico. Aos 37 anos, sou um daqueles velhinhos que teimam em escrever "pharmácia" porque no tempo deles era assim. Bem sei que é cedo demais para estas teimosias, mas resisti até onde pude. Eu tentei não ser reaccionário. Não tentei com muita força, mas tentei. Continuei a escrever como sempre, mas os revisores da *Visão* tinham depois o trabalho de corrigir o texto de acordo com a nova ortografia. Vou pedir-lhes que deixem de o fazer. Eu sou do tempo em que se escrevia "recepção". Não adianta fingir que sou do tempo em que se escreve "receção" para nos aproximarmos dos brasileiros — que, curiosamente, vão continuar a escrever "recepção".

O leitor quer saber porque é que este acordo ortográfico é absurdo, do ponto de vista linguístico? Então leia um linguista, que já vários se pronunciaram

[62]

sobre isso. Comigo não conta para erudição, como sabe. Eu li os linguistas, mas quem me convenceu a ser contra o acordo foi a minha avó — que só tinha a terceira classe. "Ui, vem aí digressão biográfica", pensa o leitor. "E mete avós pouco instruídas, que acabam sempre por ser as mais sábias", continua, já um tanto impertinentemente. Tenha calma, não é uma enfadonha história de sabedoria anciã. É uma enfadonha história de amor ancião. Nos anos decisivos da minha vida, passei muito tempo em casa da minha avó, que não era, digamos, uma pessoa exuberantemente afetuosa. Não era dada a beijos e abraços. Sucede que, talvez por isso, eu também não sou uma pessoa exuberantemente afetuosa. Também não sou dado a beijos e abraços. Quando quero explicar a uma pessoa que gosto dela, tenho de recorrer a outros estratagemas. A minha avó cozinhava. Ou esperava por mim à janela. Eu digo coisas. Deu-me para isto. Faço tudo o que é importante com palavras, porque não sei fazer doutra maneira. Acho que foi isso que me atraiu na atividade de fazer rir as pessoas: trata-se de provocar uma convulsão física nos outros — mas sem lhes tocar. O Marquês de Sade gabava-se de produzir este e aquele efeito nas senhoras. Sim, mas a tocar também eu. Gostava de ver o sr. Sade fazer com que alguém se contorcesse sem contacto físico.

Dito isto, eu estou preparado para que as palavras se alterem, para que a língua mude. Em português, temos a palavra "feitiço". Os franceses, que não podem ver nada, levaram-na e transformaram-na na palavra "fetiche". Nós voltámos a ir buscá-la, e agora usamos feitiço para umas coisas e fetiche para outras. Portanto, a língua mudou e mudou-nos. Ter fetiches é diferente (e mais compensador) do que ter feitiços. Mas a ordem certa é esta: a língua muda, e depois muda-nos. Não somos nós que mudamos a língua na esperança de que ela nos mude da maneira que queremos. Se o objetivo é aproximarmo-nos dos brasileiros, aproximemo-nos dos brasileiros. Logo se verá se a língua resolve aproximar-se também.

Claro que isto são rabugices de leigo. As rabugices de linguista têm mais valor, evidentemente. Mas o leitor também rabujaria se um acordo internacional o obrigasse a abraçar de outra forma, ou a beijar de modo diferente. "Recepção" escreve-se com "p" atrás do "ç". É assim porque o "p" provoca uma convulsão no "e" — sem lhe tocar. E eu tenho alguma afeição por quem consegue fazer isso.

A CIGANICE DE SARKOZY

A crise económica que o mundo vive é complexa, e não é fácil apontar com exatidão o momento em que terá principiado, mas o governo francês já identificou os seus responsáveis: são os ciganos. A descoberta não terá apanhado ninguém de surpresa. A bem dizer, todos sabíamos do papel que os ciganos desempenharam no descalabro financeiro norte-americano e, subsequentemente, mundial. O conselho de administração do banco de investimento Lehman Brothers era integralmente constituído por ciganos. Uma das razões da falência do banco foi, aliás, o facto de os seus administradores só pegarem ao serviço à tarde. De manhã estavam na feira, a vender *T-shirts* de contrafação. Bernard Madoff, cuja tez morena é bem reveladora de ascendência cigana, confessou ter planeado o seu esquema fraudulento ao som dos Gipsy Kings. E *subprime* é um termo do dialeto cigano que significa "ai, Lelo, vamos conceder empréstimos imobiliários de alto risco até provocar a insolvência de três ou quatro grandes instituições financeiras".

Ninguém sabe bem a razão pela qual os gregos elegeram um governo de ciganos, mas o facto é que eles estão lá, a fazer crescer a dívida externa e a arrastar a Europa para a falência. E Sócrates, não sendo cigano, é, no entender de muitos, um ciganão. Creio que é óbvio para toda a gente que a crise económica é mundial precisamente porque os ciganos, sendo nómadas, conseguiram levá-la a todo o lado.

É mais do que natural e justo que o governo francês tenha perdido a paciência com os prejuízos que esta etnia tradicionalmente ligada à alta finança tem provocado e, por isso, como costuma suceder em França com os estrangeiros que não têm categoria suficiente para representar a seleção francesa de futebol, os ciganos foram recambiados para o seu país de origem. País esse que, neste caso, é a Roménia — que faz parte da União Europeia. É azar: os ciganos, que são um povo sem fronteiras, têm algumas dificuldades para circular na Europa sem fronteiras. Ainda assim, um povo tão habituado a ler a sina deveria ter adivinhado que isto da livre circulação de pessoas iria ser prejudicial para quem é nómada. Era mais que óbvio.

Não ignoro que a medida de Sarkozy tem sido criticada, mas apenas pelos radicais de esquerda do costume. Como o Papa. A verdade é que os ciganos só trazem problemas. Recordo que o cigano mais famoso de sempre era estrela de cinema. Chamava-se Charlie Chaplin. Se bem me lembro, era raro o filme em que ele não arranjava problemas com a polícia. Aquilo está-lhes no sangue.

ELES COMEM TUDO,
DESDE QUE NÃO TENHA ALHO

Ao que parece, alguém se enganou com o seu ar sisudo e lhes franqueou as portas à chegada: os vampiros estão em todo o lado. Na literatura, no cinema, na televisão, aparecem vampiros a toda a hora. Saiu uma antologia portuguesa de contos com vampiros, há filmes e livros estrangeiros cheios de vampiros, e quase todos os programas de televisão incluem um vampiro: nas telenovelas, lá está um vampiro; nas séries juvenis, lá está um vampiro; nas conferências de imprensa do ministro das Finanças, lá está um vampiro.

Por que razão abandonaram os vampiros a Transilvânia e vieram povoar o resto do mundo? Por uma razão artística muito forte: porque vendem. Aparentemente, o público do início do século XXI tem um interesse sem precedentes pelos vampiros — o que, diga-se, não é fácil de perceber. Os vampiros são um monstro que não inspira particular terror. São, no fundo, um monstro totó. Gostam de sangue, mas isso também os apreciadores de cabidela, e eu não tenho medo deles. Não podem apanhar sol, como as crianças que têm a pele leitosa. Têm

[67]

medo de alhos, que é das fobias mais maricas que uma pessoa pode ter. E morrem se lhes espetarem uma estaca de madeira no coração. Olha que idiossincrasia tão gira. Ao contrário do que acontece com o resto de nós, os vampiros não duram muito se lhes empalarem o coração. De resto, é um facto que desejam morder-nos o pescoço, o que não deve ser agradável. Mas, se o conseguirem, transformam-nos em vampiros imortais. Que transtorno tão grande. Um monstro que, se não tivermos cuidado, nos dá a vida eterna. Há religiões que, a troco de muito dinheiro, não oferecem metade. Por mim, não me importo de ficar com os caninos um pouco maiores, se é esse o preço a pagar para viver para sempre.

O mais surpreendente nestes vampiros modernos é o modo como a adaptação aos tempos atuais os tornou ainda menos assustadores. Apaixonam-se com muita facilidade por raparigas humanas, o que lhes agrava as olheiras. Desenvolveram uma ética que não lhes permite fincar o dente em qualquer pescoço para saciar a fome. São monstros certinhos, que querem comportar-se como deve ser para terem uma vida social igual à das outras pessoas. São uma espécie de diabético que, em vez de tomar a injeção de insulina de vez em quando, toma um sucedâneo de sangue. Não são monstros, são pessoas doentes que querem fazer uma vida normal. É aborrecido. Os vampiros da minha infância andariam por aí a morder pescoços indiscriminadamente. A estes, só lhes falta que a ASAE* apareça a proibi-los de sugar artérias em restaurantes. Bananas.

---

* Responsável em Portugal pela vigilância das regras sanitárias e da atividade económica.

MOVIMENTO 'UMA PLAYMATE EM CADA TURMA'

Na qualidade de antigo aluno, a notícia da professora de Mirandela que posou nua na *Playboy* deixa-me indignado: no meu tempo não havia professoras destas. Na qualidade de cidadão que já foi capa da *Playboy*, o facto de a professora ter sido suspensa faz com que esteja solidário: nós, as coelhinhas, devemos unir-nos. Devo dizer, aliás, sem querer ser corporativista, que, se eu mandasse, todas as professoras posariam nuas na *Playboy*. O Ministério da Educação continua entretido com programas e avaliações e ignora aquilo de que o nosso sistema educativo precisa: professoras nuas. Primeiro, por uma questão de disciplina. Nenhum aluno arrisca a expulsão da sala onde leciona a Miss Fevereiro.

Segundo, por razões de concentração no estudo. Qualquer jovem aluno já deu por si a imaginar a professora sem roupa. Eu não fujo à regra, e aproveito a oportunidade para pedir desculpa à Irmã Genoveva. Mas os alunos de professoras que posam na *Playboy* não perdem tempo com distrações dessas: não precisam. Se querem ver a professora despida, abrem a revista na página 49. Na sala de aula, concentram-se na compreensão da matéria.

Terceiro, para conseguir o desejado envolvimento da comunidade no processo educativo. Os encarregados de educação mais desinteressados passam a frequentar todas as reuniões de fim de período: os pais desejam ver a professora; as mães desejam verificar se os pais não se entusiasmam demasiado com o visionamento da professora. Padrinhos que não veem o afilhado desde a pia batismal virão de longe para se inteirarem do aproveitamento escolar do miúdo.

Infelizmente, a vereadora da Educação da Câmara de Mirandela pensa de outro modo. A exibição pública voluntária do corpo nu está interdita às docentes. Não se sabe a que outras profissões se alarga esta inibição. Canalizadoras podem posar sem roupa sem desprestigiar o nobre ofício de vedar uma torneira? Empregadas de escritório podem deixar-se fotografar nuas sem melindrar os carimbos? Ninguém sabe ao certo, mas parece urgente definir com rigor que outras profissionais estão deontologicamente impedidas de fazerem com o seu corpo o que quiserem.

Mais do que a suspensão, deve colocar-se em causa a recolocação da professora. O receio de alarme social levou a Câmara a retirar a docente do contacto com os alunos e a enviá-la para o arquivo municipal. Ora, o contacto com bibliotecários de óculos grossos que não veem uma pessoa do sexo feminino

[70]

nua desde 1977 não será mais perigoso e socialmente alarmante do que o convívio com jovens? Fica a pergunta, para reflexão das autoridades fiscalizadoras da nudez.

ORGULHO
BEIGE

Devo confessar que a manifestação de extrema-
-direita do passado sábado me fez ter orgulho em
ser português. Estavam ali 200 pessoas a gritar palavras de ordem contra os estrangeiros e a fazer a
saudação romana, de modo que eu só podia ficar
muito orgulhoso dos 9999 800 portugueses que se
recusaram a pôr os pés em semelhante fantochada.
Não me interpretem mal: alguns argumentos daquela gente — passe a expressão — até fazem sentido. Dizem eles que não querem cá os "criminosos
estrangeiros". Sendo uma parte dos manifestantes
criminosos portugueses (alguns deles condenados
por homicídio) compreende-se que receiem a concorrência de criminosos vindos lá de fora, que lhes
podem tirar o lugar no sempre competitivo mundo
da criminalidade.

Além disso, eu até sou sensível à discriminação
de pessoas por causa da pele. Como não ligo muito à
cor, discrimino com base no tipo de pele. Não confio em pessoas que têm a pele seca, por exemplo.

É gente que não gosta de trabalhar. E ninguém me tira da cabeça que são ladrões. Digamos que sou, com orgulho, um suprematista oleoso. Este país não há de avançar enquanto o poder não for detido pelas pessoas que têm a pele oleosa.

Por outro lado, alguns argumentos destes nazis são apenas ridículos. Por exemplo, um português a dizer que tem orgulho em ser branco é o mesmo que o Bob Marley a dizer que tem muito gosto em ser sueco. Nós não somos brancos, meus amigos. Brancos são os ingleses. Nós, se formos um bocadinho à praia, ficamos logo mais escuros. Mas um inglês está cinco minutos ao sol e parece uma lagosta com escarlatina. Isso é que é ser branco. Outro exemplo: nos Jogos Olímpicos, nós só ganhamos nas provas de fundo e meio-fundo, juntamente com os quenianos e os etíopes. Os brancos ganham é na natação e no hipismo.

Portanto, nós somos pretos. Há muitos anos que estou convencido disto: a única razão pela qual os *skinheads* portugueses rapam a cabeça é para que não se perceba que eles têm carapinha. Não sei se estão a par disto, mas nos congressos internacionais de nazis ter carapinha não é característica que se encoraje ou aprecie.

Pela minha parte, devo dizer que estou encantado com o facto de ser preto. Reparem na transformação por que passou o Michael Jackson: enquanto foi preto, era um grande artista e sabia cantar e dançar. De repente, à medida que foi embranquecendo, começou a cantar cada vez pior e a dormir com rapazinhos. Será preciso dizer mais?

Não, definitivamente nós não somos brancos. Nós somos, quando muito, *beiges*. E o *beige*, devo lembrar, é das cores mais maricas que há. Não respeito uma cor que, sem palavra portuguesa que a designe, tem um nome francês. Nesse aspeto, ainda bem que nós não somos, por exemplo, *bordeaux*. Isso sim, seria verdadeiramente trágico.

P.S.: Lembrei-me agora do seguinte: o meu tio Vítor, que tem uma cirrose, é *bordeaux*, sobretudo na zona do nariz.

A RECONQUISTA
CRISTÃ DO CASAMENTO

Mais de um milénio depois, os mouros estão de volta a Portugal — e desta vez querem casar connosco. Em 711 vieram para lutar; agora vêm para contrair matrimónio — o que, pensando bem, é quase a mesma coisa, se não for mais sangrento. Por sorte, os cruzados continuam de atalaia e, depois de terem rechaçado a invasão da Península Ibérica, parecem prontos a impedir esta nova e igualmente perniciosa invasão das conservatórias.

Pessoalmente, confesso que não dei por nada. Só sei que os mouros voltaram porque, no espaço de pouco mais de um mês, dois cardeais foram ao Casino da Figueira precatar as moças católicas contra os perigos do casamento com muçulmanos. Eu não conheço uma única senhora que pretenda desposar um muçulmano, nem imagino a razão pela qual os mouros, aparentemente, preferem noivas católicas frequentadoras de casinos. Mas a verdade é que, tendo em conta a frequência dos avisos e o local em que eles são emitidos, o que não falta na Figueira da Foz são

[75]

donzelas cristãs que, após uma tarde de apostas na roleta, desejam unir-se em casamento com um seguidor do islamismo. Vivemos em tempos estranhos.

A única senhora com a qual travei conhecimento que casou com um mouro chamava-se Desdémona, e realmente viria a ser assassinada pelo marido, mas não é menos verdade que o principal responsável pela sua morte foi um cristão especialmente pérfido. Suponho que aconselhar as raparigas a evitarem o casamento com mouros que tenham subordinados cristãos particularmente malévolos seja menos eficaz, e até pouco prático, mas de acordo com a minha experiência pessoal é, de facto, o mais apropriado.

Não quero com isto dizer que desconsiderei as recomendações dos cardeais. Pelo contrário, tomei-as a sério: nunca ninguém me há de ver casado com um muçulmano. Até porque conheço bem o perigo que corremos quando nos relacionamos com pessoas que interpretam literalmente os textos sagrados, como fazem muitos muçulmanos e o cardeal Saraiva Martins. Mas, em Dezembro de 2007, D. José Policarpo disse que o maior drama da humanidade era o ateísmo. Pouco mais de um ano depois, vem alertar as portuguesas para os malefícios do casamento com gente que acredita — e muito — em Deus, e esquece-se do perigo que representam os incréus. Não digo que, para impedir os casamentos entre católicas e ateus, volte a entrar num casino. Mas custa-me a compreender que não interrompa ao menos um jogo de póquer para avisar as jovens católicas que pretendem casar-se com quem professa o maior drama da huma-

[76]

nidade. A minha mulher deveria ter tido a oportunidade de saber o monte de sarilhos em que se ia meter.
Estar casada com um palerma que não deseja matá-la
por causa das suas convicções religiosas é um drama
pelo qual nenhum ser humano devia ser obrigado a
passar.

A ARGAMASSA ALEGÓRICA DOS MUROS METAFÓRICOS

As carinhosas irmãs vicentinas que me educaram até à quarta classe suportaram o meu ateísmo sem o mais pequeno queixume. E suportaram-me a mim com o mesmo silêncio, o que é ainda mais notável. O facto de não terem tentado sequer convencer-me a fazer ao menos o batismo revela um respeito tão firme pela liberdade religiosa que chega a comover-me. Por outro lado, pode dar-se o caso de não terem querido oferecer um sacramento ao pecadorzinho pertinaz que, sem dúvida nenhuma, perceberam que estava ali a despontar. Também comove: senhoras que viviam em reclusão, com pouca experiência do mundo real, conseguiam mesmo assim topar um selvagem aos seis anos. Mas, mesmo não tendo desperdiçado proselitismo que lhes fazia falta para salvar almas mais merecedoras da salvação, ainda assim ensinaram-me canções religiosas. Esta semana, recordei uma que se chamava "Os muros vão cair".

É interessante quando certos pormenores da biografia do cronista se adequam ao tema tratado na

[78]

crónica, não é? Ficamos com a sensação de que o tempo passa pelo mundo e pelo cronista do mesmo modo, que deixa em ambos a mesma marca, e sobretudo que o mundo e o cronista têm a mesma importância, o que é especialmente agradável. (Para o cronista. Para o mundo, é relativamente desprestigiante.) Por isso, sempre que posso invento um facto biográfico que se relacione com os principais acontecimentos da semana. Desta vez, não precisei de fazê-lo. As freiras ensinaram-me mesmo a música político-religiosa "Os muros vão cair", que falava de muros metafóricos em geral para falar do Muro de Berlim em particular.

A esta distância, constato que as vicentinas tinham duplamente razão: dez anos depois, o Muro de Berlim caiu mesmo, e 20 anos depois da queda as metáforas sobre muros continuam pujantes. Quando, na passada segunda-feira, se comemorou o aniversário da queda do Muro, ficou claro que as metáforas com muros estão para o Muro de Berlim como a pergunta "Queria, já não quer?" está para os clientes dos cafés que, por educação, fazem o pedido no pretérito imperfeito. A queda do Muro é uma efeméride que, ano após ano, ouve sempre as mesmas piadas. Todos, mas mesmo todos os comentadores lembraram outros muros que, à semelhança do de Berlim, devemos derrubar. O muro da intolerância, o muro da injustiça ou o muro da desigualdade social foram alguns dos muros mais citados. E todos, mas mesmo todos, apontaram a seguir as pontes que devem ser construídas nas ruínas dos muros. A ponte da esperança e a ponte do entendimento entre os povos foram as duas infraestruturas metafóricas mais referidas. Se juntarmos a estes muros e pontes as autoestradas da informação, percebemos que as metáforas sobre obras públicas são, sem dúvida nenhuma, as mais populares do espaço público português. Somos um povo de construtores civis da metáfora, de patos-bravos da figura de estilo — o que não tem mal nenhum. Estou só a observar um fenómeno sem o julgar. Por favor, não me enfiem no túnel da incompreensão.

UM ABRAÇO PARA CRISTIANO RONALDO

Cristiano Ronaldo acaba de ganhar mais um prémio importante e, no entanto (ou por causa disso), muitos estrangeiros odeiam-no, e alguns portugueses toleram-no com aquele desprezo manso que se dedica aos rústicos. Dizem "Cristiano Ronaldo" articulando todas as sílabas com escárnio, sublinhando toda a cristianoronaldice do nome. Essa gente maldosa sabe o que faz: o nome foi a única vantagem com que Cristiano Ronaldo nasceu. É um nome que indica ao seu proprietário a carreira que deve seguir. Um nome psicotécnico: um arquiteto Cristiano Ronaldo sabe que nunca vencerá o Pritzker, e um engenheiro Cristiano Ronaldo nunca será quadro de topo da Mota-Engil — a menos que tenha sido ministro das Obras Públicas, mas infelizmente o cargo de ministro também está vedado a Cristianos Ronaldos, como é óbvio. Não, assim que um miúdo recebe o nome de Cristiano Ronaldo, pode começar a engraxar as chuteiras: já sabe que vai ser jogador de futebol.

Foi a única vantagem com que Cristiano Ronaldo nasceu. Tudo o resto foi conseguido por ele. É por isso que, ao contrário do que parece ser a opinião geral, considero que Cristiano Ronaldo é modesto e casto. Modesto e casto, digo bem. E justifico: Ronaldo nasceu, há 26 anos, num lugarejo esquecido da Madeira. À custa exclusivamente do seu esforço, conseguiu ser considerado o melhor do mundo no seu ofício. É isso que faz dele modesto. No lugar dele, tendo feito os sacrifícios que ele fez e obtido o que ele obteve, eu teria mandado fazer um cartaz, todo em néon, com os dizeres "Eu sou o grande Cristiano Ronaldo" e uma seta fluorescente a apontar para mim, pendurava-o ao pescoço e não saía de casa sem ele. Que ele, de vez em quando, dê uma entrevista em que arrisca um tímido elogio a si mesmo, para mim, é sinal de humildade.

Além disso, recordo que Ronaldo tem 26 anos. Parece que se dedicou em exclusivo a uma russa, quando tem 400 russas, 650 suecas, 890 finlandesas — e por aí adiante, por esse atlas afora — a baterem-lhe à porta. Qualquer rapaz normal de 26 anos que já tivesse ganho o suficiente para nunca mais precisar de trabalhar na vida faria uma curta interrupção sabática de 40 anos no futebol para se dedicar em exclusivo às estrangeiras e ao álcool, como muitos antes dele tiveram o discernimento de fazer.

Entre a pândega e o trabalho, Cristiano Ronaldo optou por meter na cabeça que vai bater todos os recordes anteriormente estabelecidos pelos melhores jogadores da história, e parece bem lançado para o fazer. Escolheu mal, evidentemente, até porque aos 26 anos não temos ainda a maturidade para distinguir aquilo que é mais importante na vida, e os cantos de

[82]

sereia da ética do trabalho conseguem fazer com que muito jovem imaturo abandone uma vida de libertinagem para cair tragicamente nos braços da competência profissional. Comparado com o que podia ser, Cristiano Ronaldo é um monge. Há padres mais devassos do que ele. Felizmente, eu sou capaz de perdoar as falhas de caráter mais graves, e não o admiro menos por causa disso.

DIZER QUE É IRRITANTE DIZER

Em primeiro lugar, dizer que estamos perante uma nova moda linguística. Qual? Antes de mais, manifestar perplexidade pela falta de perspicácia do leitor. Há um novo modelo de expressão, divulgado sobretudo por comentadores televisivos, mas que, como tudo o que é bom, tem vindo a extravasar as fronteiras da televisão e a enraizar-se nos hábitos do cidadão comum. Se há coisa que o cidadão comum aprecia é a apropriação de chavões do discurso de profissionais da televisão, com destaque óbvio para os jornalistas desportivos. O cidadão comum está frequentemente em casa, munido de um bloco de apontamentos e uma caneta, a recolher uma vasta quantidade de "tudo fizemos", de "quando assim é", e de "apenas e só".

Começar frases com o verbo no infinitivo é uma moda recente mas pujante. Em pouco tempo, superiorizou-se a outras modas, também populares, como a que impõe que nenhum relato possa principiar sem a expressão "então é assim". E o sucesso da nova moda é tanto mais surpreendente quanto a sua

[84]

origem: o mundo, frequentemente aborrecido, da análise política. A acumulação de casos políticos trouxe consigo uma previsível acumulação de comentadores políticos. Qual delas é mais perniciosa para o país? É difícil dizer. Mas é extraordinariamente simbólico que, por causa da crise, várias pessoas tenham sofrido: as pessoas que constituem aquilo a que antigamente se chamava o povo vivem pior, mas as pessoas do singular e as pessoas do plural também passam por dificuldades. Nunca mais se ouviu falar delas. A primeira pessoa do singular nunca mais falou. O comentador político do passado, que falava na primeira pessoa, deu lugar ao comentador moderno, que inicia raciocínios a dizer "dizer". Em primeiro lugar, dizer que a situação é complexa. Depois, dizer que o segredo de justiça tem sido vilipendiado. Para terminar, dizer que o procurador-geral tem estado tíbio. É, no fundo, o comentador-Tarzan. Mim dizer, tu ouvir. Trata-se de uma estratégia linguística que reduz ao mínimo as conjugações verbais. Para fazer comentário político, ninguém precisa de saber conjugar um verbo, o que acaba por ser democrático. Pela minha parte, aprecio qualquer observação política que faça ainda mais sentido se lhe acrescentarmos, no início, a expressão "grande chefe índio". Grande chefe índio dizer que a situação é complexa. Grande chefe índio dizer que o procurador-geral tem estado tíbio. Parece mesmo que vivemos no faroeste. Ora aqui está como a forma de expressão pode produzir conteúdo.

POLÍTICA POP

A atribuição do Prémio Nobel da Paz a Barack Obama é, evidentemente, absurda. É inconcebível que o recém-eleito presidente dos Estados Unidos tenha recebido o Prémio Nobel. Especialmente, é inconcebível que o tenha recebido antes de vencer um Oscar, de ganhar a Bota de Ouro e de ser coroado Miss Portugal. Que se passa com a academia de Hollywood, a Liga de Futebol Profissional e o júri do popular concurso de beleza para não terem ainda premiado Barack Obama? Como é possível que Obama esteja há quase um ano na Casa Branca e tenha vencido apenas um Prémio Nobel? E logo o da Paz, que não exige qualquer mérito da parte do premiado — nem sequer o mérito de promover a paz, conforme se constata pelo facto de Henry Kissinger ter recebido o galardão em 1973. Porque não o da Literatura, se as suas autobiografias (as 23) estão escritas num estilo tão elegante e enxuto? Porque não o da Economia, o da Química ou da Medicina? Pode perguntar-se: que fez ele para vencer o Nobel da Economia, da Química ou da

[86]

Medicina? E pode responder-se: o mesmo que fez para ganhar o da Paz.

As candidaturas para o Prémio Nobel da Paz são entregues em fevereiro. Barack Obama tomou posse como presidente dos Estados Unidos no final de janeiro. Em duas ou três semanas, Obama teve uma ação suficientemente meritória para ganhar o Nobel da Paz. Que fez ele? A resposta é clara: nada. Não ordenou retiradas, mas também não ordenou ataques. Não ordenou nada, o que já é bem bom. Um estadista que não faça nada tem, hoje, um valor inestimável.

Há quem diga que o prémio foi atribuído a Obama como sinal de esperança no que o presidente americano poderá fazer no futuro. Sinceramente, não creio. Julgo que o comité norueguês atribuiu o prémio agora por uma questão de oportunidade: há que aproveitar enquanto é tempo. Normalmente, é uma questão de meses até o presidente dos Estados Unidos lançar o país numa guerra qualquer. É preciso premiá-lo enquanto não começa a rebentar com coisas no Médio Oriente.

Por outro lado, é muito curioso que a atribuição do Nobel da Paz a Barack Obama tenha desencadeado uma série de comentários extremamente beligerantes. Raras vezes terá havido tanta discórdia a propósito da Paz. É mais um mérito de Obama: recebe prémios, promove discussões, agita o mundo. E tudo sem se mexer. Minto: há uns meses comprou um cão. Mas imaginem o que acontecerá quando ele começar mesmo a fazer coisas.

[87]

UMA REFLEXÃO ACERCA DE LIXO

Certo dia, quando trabalhava no *Jornal de Letras*, fui incumbido de entrevistar uma escritora chamada Adília Lopes. A primeira pergunta que lhe fiz foi sobre um poema seu de que eu gostava e gosto muitíssimo. Chama-se "Autobiografia sumária" e só tem três versos: "Os meus gatos / gostam de brincar / com as minhas baratas." O meu objetivo era impressionar a autora com a minha excelente interpretação do poema. Disse-lhe que aqueles versos eram também o resumo da minha vida. Os meus gatos, isto é, aquilo que em mim é felino, arguto, crítico ("Não foi por acaso", disse eu, "que Fialho de Almeida reuniu os seus textos críticos num volume chamado *Os Gatos*."), aquilo que em mim é perspicaz — e até cruel — gosta de brincar com as minhas baratas, ou seja, com aquilo que em mim é repugnante, negro, rasteiro, vil. E aquela operação poética — que é, igualmente, uma operação humorística — de escarnecer de si próprio era-me tão familiar que podia descrever-me de forma tão competente como à autora do poema.

[88]

Os olhos de Adília Lopes humedeceram-se. Fosse qual fosse a noite solitária em que escreveu o poema, estava longe de imaginar que, tanto tempo depois, a sua alma gémea se apresentasse à sua frente, compreendendo-a tão profundamente. Foi então que Adília Lopes falou. Disse o seguinte: "Pois. Bom, comigo, o que se passa é que eu tenho gatos. E tenho também baratas, na cozinha. E os gatos gostam de ir lá brincar com elas." E depois exemplificou, com as mãos, o gesto que os gatos faziam com as patinhas.

Foi naquele dia, amigo leitor, que eu deixei de me armar em esperto. Tinha citado Fialho de Almeida, tinha usado a expressão "operação poética", e tinha-me visto a mim onde só havia gatos e baratas. Os olhos de Adília Lopes estavam húmidos, provavelmente, do esforço que a sua proprietária fazia para não rir. Não eram só os sacanas dos gatos que escarneciam de mim: a Adília Lopes também. E, desde esse dia, tenho constatado que o mundo inteiro, em geral, me mofa (quem aprecia a frase bem torneada fará bem em registar, num caderninho próprio, a elegante construção "me mofa").

Vários filósofos têm refletido sobre o lixo, sobretudo acerca do modo como a nossa sociedade trata o seu lixo. Eu estou magoado com o modo como a nossa sociedade trata o meu lixo em especial. Não me interessa o tratamento que a sociedade dá ao seu lixo: a forma como trata o meu é humilhante. O lixo de Adília Lopes gera vida e poemas. O meu lixo não só não gera nada como tem uma falta de personalidade que o amesquinha quase tanto quanto me amesquinha a mim. É muito frequente encontrar-me na circunstância de ter lixo na mão e, quando confrontado com os rótulos que hoje designam as várias secções dos caixotes do lixo (cartão, papel, embalagens, vidro), verificar que o lixo que eu possuo se enquadra, invariavelmente, na categoria dos indiferenciados. Quase todo o meu lixo se caracteriza por uma falta de caráter que só posso ser eu a transmitir-lhe. Eis, afinal, a minha autobiografia sumária: "O meu lixo / é tão desinteressante / como eu."

TRISTE SINA

Esta semana fui comprar cuecas. Peço, porém, ao leitor que contenha a emoção. Bem sei que, num país de cronistas insossos, haver um que enceta a crónica despertando imediatamente no leitor a inquietação que só a grande literatura consegue provocar comove toda a gente sofisticada. Compreendo que o leitor deseje largar imediatamente o livro. Percebo a urgência de ir verter a frase que ali está para latim e tatuá-la nas costas. Mas aquelas cinco palavras — que, de resto, compõem um estupendo decassílabo — não são apenas um achado estilístico: são também a mais pura verdade. É por isso que chamo a atenção para o que se segue.

A cueca, sabemo-lo todos, ocupa um lugar central na nossa vida. Quase todas as pessoas que conheço me manifestaram, num momento ou noutro da sua existência, a seguinte preocupação: "As cuecas que trago hoje estão em mau estado. Se tiver um acidente e for necessário despirem-me, será uma vergonha." Este lamento é bem revelador da importância das cuecas.

[91]

Aquilo que as pessoas mais temem, na eventualidade de um acidente, não é a dor física, é a dor moral de serem apanhadas com cuecas feias ou velhas — ou, Deus nos valha, feias *e* velhas. E o certo é que, quando penso na hipótese de ter, por exemplo, um desastre de automóvel, se há algo que me conforta é imaginar que um dos bombeiros, na altura de me colocar na maca, dirá, com admiração "Que excelentes cuecas enverga este estropiado!" ou "Onde terá aqui o perneta adquirido estas magníficas cuecas?"

Tendo tudo isto em consideração, tornou-se óbvio que a aquisição de cuecas era uma tarefa demasiado importante para que eu pudesse levá-la a cabo sem aconselhamento. E foi por isso que, como qualquer pessoa sensata faria, recorri ao Oráculo de Bellini.

Que eu tenha conhecimento, o Oráculo de Bellini vaticina o futuro em seis revistas diferentes: a *Nova Gente*, a *Maria*, a *Mulher Moderna*, a *VIP*, a *TV 7 Dias* e a *Ana*. Os problemas começam aqui. O Oráculo fornece conselhos diferentes aos leitores de cada revista. Se, por exemplo, na *Maria*, na *Mulher Moderna* e na *Ana*, me recomenda "seja honesta consigo própria e não se deixe iludir" (um bom conselho, uma vez que esta semana eu tinha decidido que iria deixar-me iludir), o Oráculo reserva para os leitores da *Mulher Moderna* e da *Ana* o aviso "Previna o *stress*. Tendência para problemas no aparelho circulatório." Isto significa que, mais do que conhecer o futuro dos nativos de Touro, o Oráculo tem informações sobre o futuro dos nativos de Touro compradores da *Mulher Moderna* e da *Ana*: são os mais atreitos a problemas no aparelho circulatório, males que não afligem os nativos de Touro compradores da *Nova Gente*, *Maria*, *VIP* e *TV 7 Dias*.

Por outro lado, aos nativos de Touro leitores da *VIP*, *TV 7 Dias* e *Nova Gente*, o Oráculo de Bellini aconselha "não cometa erros irreparáveis". Mais uma vez, a recomendação surpreende por dois motivos: primeiro, apanha de surpresa todos os nativos de Touro que estavam com ela fisgada para cometer erros irreparáveis no período entre 21 e 27 de Maio (entre os quais me incluo), e veem assim negado o seu desejo, o que é bastante arreliador; segundo, parece significar que os nativos de Touro leitores da *Ana*, *Maria* e *Mulher Moderna* podem cometer erros irreparáveis à vontade, uma vez que não há mal que os apanhe esta semana. Finalmente, o Oráculo recomenda aos nativos de Touro leitores da *TV 7 Dias*, *VIP*, *Maria* e *Ana* que "se afastem de atrações meramente físicas" (logo as minhas prediletas... Enfim, há semanas azaradas).

Pesadas todas as sugestões, acabei por adquirir umas cuecas com o elástico lasso (para prevenir problemas no aparelho circulatório) e de flanela grossa, bem pouco sensual (para me livrar das atrações meramente físicas). O único cuidado que tive foi pedir que as cuecas não fossem amarelas. Ser apanhado com cuecas amarelas constituiria, no meu entender, um erro irreparável.

OBSCURANTISMO DE
PONTA

Alguém ainda se lembra de como era a vida antes dos computadores e da internet? Eu lembro-me. Era triste. Como foi possível viver e trabalhar sem um processador de texto, sem uma folha de cálculo, sem a possibilidade de receber todos os dias dezenas de fotografias de jovens raparigas com os seios de fora? Não sei. Só de pensar nisso fico transtornado, e eu nunca uso processador de texto nem folhas de cálculo.

Para mim, a grande vantagem da tecnologia é a globalização da estupidez. Antigamente era muito difícil contactar com estupidez verdadeiramente nova e original. Não quero com isto dizer que, em Portugal, não houvesse estupidez. Havia, e boa. Mas isto é como tudo o resto: eles lá fora acabam por produzir estupidez de um nível que nós, cá, temos dificuldade em atingir. E perceber que há estupidez maior que a nossa é das sensações mais reconfortantes que podemos ter.

De toda a estupidez que nos chega através da internet, a minha preferida é a que é enviada por

[94]

e-mail para fazer de nós parvos. Muita gente tenta fazer de mim parvo, e Deus sabe que boa parte consegue atingir o seu objetivo, mas confesso que nem eu caio nestas histórias. A melhor de todas é, sem dúvida nenhuma, a da banheira de gelo. O leitor já conhece a patranha: um homem de negócios encontra uma bela mulher num bar de hotel. Sobem ao quarto (sendo que a história omite o que o homem de negócios disse à senhora para a convencer a subir — coisa que, isso sim, seria verdadeiramente pedagógica) e no dia seguinte o homem acorda numa banheira, coberto de gelo, com uma cicatriz no abdómen. Ao lado está um telefone e um cartão com a mensagem: "Tirámos-lhe um rim. Ligue para o 112 rapidamente ou acabará por morrer." E parece que vem assinado: "Uma das várias máfias do leste da Europa, daquelas constituídas por tipos mesmo feios e maus."

Como é óbvio, nada nesta história faz sentido. Os autores da peta saberão quantos cubos de gelo são necessários para encher uma banheira? Eu, quando tenho visitas em casa, já me vejo aflito para fazer seis ou sete gins tónicos, quanto mais encher a banheira. Nem o bidé, quanto mais.

E como é que os mafiosos preparariam um golpe destes? "Vladimir, já pus as 700 cuvetes no congelador, já comprei o cartãozinho para a mensagem e já esterilizei a agulha, para que possamos suturar com toda a higiene e segurança a vítima que acabámos de raptar e retalhar. Deus queira que, no hospital, consigam salvar este desgraçado, quanto mais não seja para que possamos voltar a raptá-lo e tirar-lhe o outro rim e, já agora, todos os outros órgãos vitais que ninguém percebe porque é que não levamos connosco neste preciso momento, até porque, assim como assim, a barriga do gajo já está aberta e temos tudo aqui à mão de semear."

É, em suma, um péssimo mito urbano, descaradamente fantasioso. Seja como for, e não vá o diabo tecê-las, há noites em que bebo os seis ou sete gins tónicos sozinho. Se estes mafiosos me quiserem roubar o fígado, levam-no todo escavacado. Para aprenderem. E é bom que a bela mulher seja mesmo bela.

ISTO DE
ESTAR VIVO

Há poucas coisas na vida mais perigosas do que ir ao dentista. A broca propriamente dita não me faz medo, que o marfim é bom e nunca deu cuidados. Perigosa é a sala de espera. Uma pessoa senta-se e, para desviar a vista da gente em quem o bicho da cárie investe a sério, comete a asneira de pegar numa revista. Há tardes que se estragam assim. A mim, calhou-me a revista *Lux* da semana passada, em cujas páginas recolhi este perturbador aforismo de Maria João Bahia: "É bom receber este prémio em vida porque quando se morre não tem o mesmo significado." O prémio é o Globo de Ouro e a Maria João, que foi quem desenhou a estatueta, tem anualmente direito a um merecido tempo de antena para falar sobre temas mundanos, como o *design* ou a morte.

Devo dizer que não sou totalmente ingénuo. Eu já sabia, mais por ouvir dizer do que por experiência própria, que a morte era razoavelmente desagradável. Mas só quando contactei com o pensamento de Maria João Bahia me ocorreu que, de facto, os prémios não têm o mesmo significado quando os recebemos depois

[97]

de mortos. Há uma má vontade generalizada, entre os defuntos, para com os prémios. Mortos de todos os credos e classes sociais, por muito que discordassem em tudo durante a vida, depois da morte alinham numa unanimidade irritante: não se entusiasmam por aí além com honrarias. E isso faz com que os prémios percam significado também para nós, os vivos, que os oferecemos com prazer, pelo que compreendemos com dificuldade a frieza com que os mortos os recebem. Parece que os mortos se esmeram em fazer-nos desfeitas destas, no que aos galardões concerne. Inveja pela nossa condição de ainda vivos? Não quero acreditar em tamanha mesquinhez. Mas os factos estão aí para no-lo provar. Em 1931, o Prémio Nobel da Literatura foi atribuído a Erik Axel Karlfeldt depois da sua morte. Entusiasmou-se, o Erik? Nada. Agradeceu à Academia Sueca? O tanas. Recusou o prémio, barafustou, exibiu a mais pequena emoção? Nem isto (estou a fazer aquele gesto com o dedo polegar a indicar uma porção mesmo muito pequena do indicador). Karlfeldt manifestou apenas indiferença. Mesmo os vivos que recusaram receber o prémio, como Sartre ou Pasternak, fizeram saber à Academia que o recusavam e porquê. Karlfeldt manteve um silêncio maldoso. Nem um telegrama, nem um postal, nada. O rei da Suécia, ali, no dia marcado, com o colar na mão, à espera dele, e o Karlfeldt repimpado a dormir o sono eterno. Não se faz. Um rei a querer agraciar, e não agracia porque sua excelência resolve falecer.

Não depreciar o valor dos Globos de Ouro: eis o que, além de outras coisas banais como a família, os amigos, o Benfica, vai fazer com que eu me agarre a esta vida.

"Isto de estar vivo ainda um dia acaba mal." É uma frase do Manuel da Fonseca que o Luiz Pacheco tomou para epígrafe de um livro. O raciocínio é, obviamente, muito acertado. A vida é bonita. Mas, fatalmente, vai acabar por descambar num estado em que deixamos de dar valor a galardões como os Globos de Ouro. E é isso, mais do que ter a carcaça roída por vermes, que constitui o absurdo da existência.

PSHT, Ó CHEFE

Um dos problemas das férias — e não o menos grave — é que o nosso contacto com empregados de café tende a aumentar. Há mais tempo de permanência em esplanadas, e o convívio com aquele tipo de profissional pode causar danos irreversíveis na nossa autoestima. Em primeiro lugar, faz falta um estudo sério que distinga os empregados de café quanto à sua ideologia. Basicamente, há quatro grandes tipos de empregado de café. Há o *autoritário-platónico*, que grita para dentro da cozinha ordens como "Quero uma imperial!" ou "Quero uma tosta mista!" Aquele "quero" assusta pelo que tem de exigência ríspida, mas enternece pelo modo como toma para si os desejos do cliente. Na realidade, somos nós que desejamos a tosta mista, mas este empregado é o nosso ponta-de-lança na cozinha. E está a dizer-nos que vai disputar a nossa tosta ao cozinheiro com o mesmo empenho que teria se fosse ele a desejá-la. Trata-se, porém, de um desejo platónico, porque o empregado sabe que, embora deseje a tosta mista com a mesma

[100]

intensidade que o cliente, quem acaba por comê-la somos nós. Vejam como há mais drama nisto do que parece à primeira vista. Estou convencido de que, se Shakespeare fosse vivo hoje, todas as suas tragédias se passariam em snack-bares.

Há, também, o empregado *pueril*. É o que exclama "Dá uma bifana*!" ou "Dá molotov*!" A doçura inocente da ordem é tal que não podemos deixar de pensar que se trata de uma versão abreviada de "Dá uma bifana ao bebé!" ou "Dá molotov ao menino!" E isso também enternece, evidentemente.

Há, ainda, o empregado *voyeur*. Este dirige-se ao pessoal da cozinha bradando "Olha o bitoque*!" ou "Olha a meia de leite*!" É, no fundo, um homem que contempla. Pousa o olhar sobre um prato de tremoços* como Alberto Caeiro o pousava sobre os rios e sobre as flores — só que com mais poesia.

E há, finalmente, o empregado *escapista*. É aquele que transforma os nossos pedidos em ordens do tipo "Sai uma sandes de carne assada!" Este empregado está interessado apenas na saída do nosso pedido, para que ele se presentifique o mais rapidamente possível à nossa frente. Escuso dizer como esta urgência é enternecedora.

Perante isto, é inevitável que o cliente sinta que não merece ser servido por empregados que denotam este nível de abnegação. Mas não é só na dedicação à causa que nos sentimos inferiorizados perante estes

---

* Bifana: bife no pão. Molotov: pudim. Bitoque: bife com ovo e batata frita. Meia de leite: café com leite. Tremoço: aperitivo salgado.

[101]

profissionais. Há toda uma superioridade linguística que também achincalha. Na maior parte dos casos, os empregados de café corrigem subtilmente o fraseado dos nossos pedidos. Quem me dera ter um euro por cada vez que mantive este diálogo com um empregado:

Eu: Queria um café.

Ele: Deseja uma bica*?

Repare-se que, na minha frase, nem uma palavra se aproveita. É impossível não sentir embaraço por termos dito que queríamos um café quando, na verdade, o que se passa é que desejamos uma bica. Ou o verão acaba depressa ou vou precisar de terapia.

* O mesmo que café (expresso).

MAKE EROTISMO, NOT PARVOÍCE

Permitam-me que seja o primeiro a dizer que o Salão Erótico, que decorreu na semana passada em Lisboa, é um escandaloso embuste. Acompanhei o prestigiado certame pela imprensa, e posso garantir-vos que o Salão Erótico não é erótico — o que me parece, desde logo, uma falha grave. É certo que participaram no evento várias estrelas de cinema que envergavam roupas muito curtas (as que envergavam roupas). Mas não é menos verdade que, para cada uma destas artistas, havia cerca de sessenta homens de óculos extremamente grossos. O erotismo é uma delicada flor, que mirra na presença de auxiliares oftalmológicos extremamente grossos. Isto está estudado. É impossível apreciar a beleza perene de Cicciolina quando se é acotovelado por um senhor de barbas com 51 anos e 24 dioptrias que pretende fotografar o tornozelo de uma *stripper* para emoldurar e pôr na sala da casa que divide com os pais. Agora multipliquem por 32 mil senhores de barbas e ficam com uma ideia do que é o Salão Erótico num sábado. Julgo que é por isto que a maioria das atrizes presentes no Salão colocou implantes mamários tão grandes. Para que os senhores míopes as consigam ver.

Aparentemente, os próprios espetáculos oferecidos aos visitantes enveredaram por uma vertente, digamos, circense do erotismo. A artista Sónia Baby, por exemplo, depois de interpretações memoráveis em várias películas que, de forma completamente acidental, tive oportunidade de apreciar na internet, apresentou-se no Salão na qualidade de "acrobata vaginal". O público não merecia uma desfeita destas. O espetáculo da Sónia consiste, segundo informa o *Correio da Manhã*, em "tirar de dentro do corpo uma corrente com 20 metros". Aqui está um espetáculo que tem menos a ver com *sex shops* e mais com lojas de ferragens. A mesma Sónia Baby, ainda segundo o *Correio da Manhã*, convidou um dos visitantes a "acender uma lâmpada no seu íntimo". A quem se dirige este tipo de atividade elétrico-sexual? Suspeito que nem Thomas Edison se entusiasmaria com a perspetiva de andar a acender lâmpadas no íntimo alheio — e até era capaz de levar a mal. E tenho sérias dúvidas de que seja possível fazer erotismo com produtos que se podem comprar no Leroy Merlin.

No mesmo sentido parece caminhar o espetáculo da dominadora alemã, Mistress Foxy, que se ofereceu para "pisar os genitais dos visitantes". Confesso que recordo com saudade os tempos em que o erotismo se cingia simplesmente à observação e/ou palpação de seios, nádegas, etc. Tempos em que havia mais contacto com o corpo e menos com objetos oriundos do universo da eletricidade ou da metalomecânica. E receio que, a manter-se este estado de coisas, a nossa juventude se afaste, irremediavelmente, do mais puro, nobre e cândido chavascal. Ah, o chavascal da minha meninice, que não volta mais...

A COMO É QUE ESTÁ O QUILO DE PALAVRAS?

Já alguma vez, leitor, teve aquela sensação de desejar que parem de lhe perguntar se já teve determinada sensação? Suponho que não. Digamos que não é uma sensação muito frequente. Confesso que também não posso dizer que a tenha tido. Mas tenho muitas vezes a seguinte sensação: parece-me que as coisas quase nunca são tão boas como as palavras que as designam. Mais: as coisas melhoram ou pioram consoante as palavras que as designam. Dou um exemplo: um bacalhau com batatas custa cinco euros. Mas um bacalhau braseado em lascas com batatas salteadas em azeite virgem não se encontra por menos de dez euros e meio — embora seja o mesmo bacalhau e as mesmas batatas. E, de facto, o segundo bacalhau sabe melhor. Os profissionais da restauração, linguistas subtis, descobriram o truque, e é por isso que as refeições estão cada vez mais caras.

O contrário também acontece. Vejam como são as coisas: há dias, encontrava-me a bordo de um carro com motorista. O veículo tinha um taxímetro e uma placa luminosa com a palavra "táxi" no tejadilho, pelo que andei vários minutos convencido de que estava num táxi. Enfim, precipitações. Só dei pelo erro quando o motorista me disse: "Faz hoje dez anos que tenho o 'táxe'." Já tinha ouvido falar de taxistas que enganam as pessoas, mas isto era demais. Levar uma pessoa a acreditar que apanhou um táxi e depois, a meio caminho, informá-la assim, sem preparação nem cuidado, de que está dentro de um "táxe" pareceu-me cruel. Que diriam as pessoas que me esperavam para um encontro de extrema importância quando me vissem chegar num "táxe"? Continuariam a querer jogar à bola comigo ou cancelariam a partida?

Com o sexo sucede o mesmo ou pior. O modo como designamos o sexo pode fazer com que percamos o interesse por ele. Não a mim, que sempre fui um rapaz muito interessado, mas à generalidade das pessoas. E, na verdade, como chamar àquilo? "Fazer sexo"? Bizarro e, até, gramaticalmente duvidoso. O sexo não se faz. "Fazer amor"? Ui, que piroso. "Praticar sexo"? Parece que estamos a falar de uma modalidade desportiva (o que faz desta, até agora, a expressão menos má, pela sugestão implícita de treino intenso e busca da perfeição). "Fornicar"? É particularmente estranho, por ser um verbo de ressonância bíblica que no entanto contém o gérmen da obscenidade (o que faz com que ultrapasse, em qualidade, a expressão anterior). É como vos dizia no início: a maneira de designar a realidade, às vezes, parece que coiso. Daí a necessidade de nos sabermos exprimir bem.

VAMOS FALAR UM BOCADINHO SOBRE A VAGINA

Segundo uma interessante reportagem do *Diário de Notícias*, há muitas mulheres que recorrem à cirurgia plástica genital, com o objetivo de "recuperar a virgindade". Confesso que não percebo esta obsessão com a virgindade. Eu lembro-me bem do que é ser virgem. Não apreciei. E, para mim, o significado da virgindade era muito claro. A minha virgindade não queria dizer honra, pureza, inocência. A minha virgindade queria dizer: "Cá estamos, não é? Ninguém me pega, pá." Felizmente, um dia este calvário terminou. Já lá vão mais de duas semanas.

Por isso, a virgindade forçada sempre foi uma ideia desagradável. As pessoas que apregoavam a sua virgindade eram, para mim, particularmente incompreensíveis. Não conheço outra situação em que alguém se gabe de não fazer uma coisa que lhe dê prazer. Não me lembro de ouvir alguém exclamar, todo contente: "Eu nunca ouvi música na vida. Tenho os ouvidos tão puros que até chateia." Ou: "Eu nunca comi chocolates e, se tudo correr bem, não comerei enquanto não conhecer a caixa de bombons certa."

[108]

E agora venho a saber que há gente que, não sendo virgem, deseja voltar a ser, reconstruindo o hímen. Devo dizer que possuo um módico de conhecimentos acerca da vagina, mas estritamente na ótica do utilizador. (Peço muita desculpa pelo teor da frase antecedente. Não há desculpa para esta tentativa de, por um lado, reificar a vagina — que tantas alegrias me tem dado — e, por outro, de reduzir a sexualidade a uma atividade desprovida de afeto. A sexualidade é muito mais do que isso, embora também seja bastante divertida quando encarada desta forma. Quanto à vagina, é merecedora do meu mais profundo respeito, tanto que sou um admirador do trabalho que tem vindo a desenvolver, quer como órgão sexual, quer como parte do sistema urinário. Mas a verdade é que, volta e meia, uma brejeirice canalha pode ser muito libertadora. O mau gosto anda muito subvalorizado na nossa triste sociedade. E, além disso, este é um dos maiores parênteses da história da imprensa em Portugal.) Sou, como estava a dizer, um leigo na matéria, mas não me parece que este procedimento seja saudável. Tenho muito apreço pelo saber de experiência feito. Fujo das mulheres virgens como o diabo da cruz. Sou contra a prática de relações sexuais com mulheres inexperientes. Alguém naquela cama tem de saber o que está a fazer. E não sou eu, de certeza.

EVIDÊNCIA DE BROKEBACK MOUNTAIN

Confesso que não compreendo a surpresa que o filme *O Segredo de Brokeback Mountain* provocou junto daquilo a que se costuma chamar "alguns setores". Certas coisas provocam indiferença junto de alguns setores. Outras vezes, quando alguns setores estão mais irritados — seja porque alguns setores tiveram um dia para esquecer no escritório ou porque o clube de que alguns setores são adeptos perdeu — há coisas que provocam indignação junto de alguns setores. *O Segredo de Brokeback Mountain* provocou surpresa. Podia ter sido pior.

O filme conta a história de dois cobóis americanos que têm uma relação homossexual. E alguns setores surpreenderam-se. Eu não. Fico verdadeiramente surpreendido é com a quantidade de filmes de cobóis em que não há homossexualidade. Reparem: estamos a falar de homens que andam em grupo a pastar vacas ou a perseguir outros homens que gostam de se enfeitar com penas. Não se vê uma mulher durante meses. Tudo mascaradinho: uns de índios e outros de cobóis. Juntem

[110]

um marinheiro e um homem das obras e, em vez de um *western*, têm os *Village People*. Ainda hoje estou para saber como é que, em *The Undefeated*, o Rock Hudson não dá um beijo molhado no John Wayne — sendo que, como sabemos, vontade não lhe faltava.

O mesmo é válido para quase todas as atividades atribuídas a homens particularmente viris. Por exemplo, o exército. Sempre me intrigou o facto de se proibir que os homossexuais vão à tropa. Pensem comigo: um quartel é uma casa fechada só para homens que vivem juntos, tomam banho juntos e dormem juntos. Como é possível ter a desfaçatez de não deixar entrar homossexuais, se aquilo parece ter sido inventado por eles? Estamos perante uma enorme crueldade. É como criar a Disneylândia e depois proibir a entrada a crianças.

O que pretendo dizer é o seguinte: isto da virilidade é muito enganador. Um jogador de râguebi, com as suas cicatrizes, parece muito mais viril do que, digamos, um bailarino de patinagem artística, com as suas lantejoulas. Mas o bailarino passa o número inteiro agarrado a uma mulher, mulher essa que atira ao ar, colocando, para o efeito, as mãos em sítios, vamos lá, interessantes — tanto do ponto de vista da propulsão como do ponto de vista erótico-libidinoso. Enquanto isso, o jogador de râguebi está metido em molhadas de dezenas de homens, molhadas essas que, pelo que tenho visto, promovem frequentemente o contacto entre o nariz de um atleta e o escroto de outro. Julgareis qual é o mais viril, mas a minha opinião está formada.

[111]

De qualquer modo, percebo que o que estou a dizer possa ser polémico. Calculo, ainda, que haja meia dúzia de militares e três ou quatro equipas de râguebi que, depois disto, me queiram bater. Mas lembrem-se de que o ato de me assentarem uns bananos, por mais divertido que possa ser, é apenas uma outra forma de contacto físico entre homens.

CASAMENTO
BRANCO
E CASAMENTOS
NEGROS

O *Diário de Notícias* publicou esta semana uma reportagem que pode salvar a humanidade. Era uma peça sobre os chamados casamentos "brancos": um cidadão nacional, a troco de dinheiro, casa com um cidadão estrangeiro, que ganha um passaporte comunitário. Ou seja, ambos os membros do casal saem a ganhar. É, portanto, o rigoroso oposto dos casamentos tradicionais. Vejamos:

No casamento "branco" os cônjuges não se conhecem — o que é meio caminho andado para o sucesso do matrimónio. O desconhecimento do companheiro torna as discussões praticamente impossíveis. A ignorância inviabiliza argumentos frequentes das discussões conjugais, como por exemplo: "És mesmo igual à tua mãe (embora ela pareça mais nova)", "Eu sei que tu apalpaste a Sandra naquela festa em 1987", ou "És mesmo igual à tua mãe (embora ela seja mais carinhosa na cama)".

Nestes casamentos, o sexo, a existir, é sem amor — que é a modalidade de sexo que eu preconizo.

[113]

Há quem queira subordinar o sexo à reprodução e há quem queira subordiná-lo ao amor. Pessoalmente, não aprecio relações de subordinação (ah, o bom e velho Karl Marx). O sexo pelo sexo: eis o caminho do homem justo. Talvez sejam os meus elevados padrões morais a falar, mas não posso deixar de condenar o sexo por amor. De facto, tenho algum pudor em misturar a vida amorosa com a vida sexual. Na minha opinião, é um pouco perverso meter uma coisa linda como o amor no meio daquele chavascal todo.

Este casamento por conveniência contrasta flagrantemente com o outro, o casamento de inconveniência. Não há o inconveniente de conhecer a família do cônjuge, nem copo d'água com tios embriagados, nem sorrisos amarelos para o fotógrafo. Não há talheres a bater nos pratos, nem cenas de pancadaria por causa de um comentário sobre o vestido da noiva, nem partilha da casa de banho: se tudo correr bem, os noivos nem voltam a ver-se.

A prova de que estes casamentos são excelentes é que os beatos não dizem uma palavra sobre eles. Há escandaleira recorrente a propósito do casamento entre homossexuais; mas estes, pelos vistos, não beliscam a santidade do matrimónio. É tudo feito dentro da maior legalidade e não aborrece ninguém. Nem os próprios noivos: os divórcios, no casamento "branco", aparecem naturalmente e sem brigas. Não há notícia de uma única separação litigiosa — até porque, em cem por cento dos casos, não há filhos a atrapalhar. E ainda dizem que o casamento está em crise.

OS CARRASCOS
DO CARRASCO

Como toda a gente, suponho, fiquei impressionado com as imagens do enforcamento de Saddam Hussein. Não é todos os dias que se assiste a um momento de ternura daquela dimensão. Refiro-me sobretudo ao modo como um dos carrascos enrola um paninho de flanela à volta da garganta do ditador, antes de ajustar o baraço. Notável, aquela preocupação de não magoar o pescoço que se está prestes a partir. "Matar, sim, mas sem aleijar", parece ser o lema daquele verdugo. E quando o homicídio é praticado com esta meiguice, custa a perceber a má reputação de que desde sempre vem gozando. De facto, se é possível apertar o gasganete a alguém sem lhe deixar aquelas marcas tão feias no pescoço, que necessidade temos de persistir no antigo modelo de enforcamento, sem paninho de flanela, que é tão brutal e bárbaro? São gestos que não custam nada e fazem toda a diferença.

Mas, como tudo na vida, o enforcamento de Saddam também teve aspetos negativos. É certo que o ditador foi punido pelos assassínios de que foi responsável, tanto os que foram cometidos na altura em que era um grande estadista apoiado pelos Estados Unidos, como os que ordenou na fase em que já era um repugnante ditador sanguinário. O problema é que a execução transformou Saddam num ser humano, o que é tão triste quanto inédito: o homem estava vivo há quase 70 anos e ainda ninguém tinha percebido que aquele energúmeno era uma pessoa igual às outras.

É impossível assistir à execução de Saddam sem recordar uma grande obra da história da pintura. O leitor está a ver *Os Fuzilamentos de 3 de Maio*, do Goya? Então esqueça. Estou a pensar noutro quadro. Refiro-me ao *Almoço na Relva*, do Manet. Lembra-se? Estão dois senhores e uma senhora a almoçar na relva (e, tendo isto em conta, não se pode dizer que o título do quadro seja particularmente imaginativo) e, ao passo que os dois senhores estão vestidos de fato e gravata, a senhora está completamente nua. Um enorme desconforto invade imediatamente o espectador: há um embaraço evidente no convívio da nudez da senhora com o aprumo dos senhores, e há um embaraço ainda maior no facto de o espectador não fazer ideia de como se convence uma rapariga a ir para o meio de uma mata almoçar toda descascada. No enforcamento de Saddam, é igual: a única pessoa que ali está, o único que é exatamente igual a nós, com um rosto, uns olhos e uma vontade muito grande de fugir, é o que não tem capuz preto.

De resto, a execução de Saddam demonstrou, mais uma vez, quão bárbaro e atrasado é aquele povo:

tudo mal filmado; a iluminação, péssima; o som, rou-
fenho; e o momento crucial em que o cadafalso se abre
não chega a ser captado. Trata-se de gente sem a mais
pequena noção de clímax narrativo. No Ocidente,
esta vergonha não teria sido possível.

SOBRE UM PEQUENO PORMENOR CHAMADO LIBERDADE

Eu não gosto de militares. Não gosto da ética militar, nem da brutalidade, nem daquele fanatismo patriótico que é, com muita frequência, trágico.

E também não gosto do povo. Não gosto da irresponsabilidade da multidão, nem daqueles que parecem ser os dois principais fatores de interesse da massa popular: aglomerar-se em torno de acidentes rodoviários e insultar as camionetas que levam os arguidos para o tribunal. Tinha um amigo da UDP* (notem que é possível fazer amizade com gente da UDP) que gritava com gosto a palavra de ordem do partido: "UDP, sempre ao lado do povo!" E depois acrescentava, mais baixinho: "Mas nunca no meio dele." O escritor Mário de Carvalho costuma advertir para a necessidade de distinguir o povo do populacho, porque o primeiro é um conceito nobre e até mítico, e o segundo é uma massa infame. O problema é que é difícil

---

* Partido de extrema-esquerda português formado após a Revolução de Abril de 1974.

[118]

encontrar o povo, mas é muito fácil dar de caras com o populacho.

E, no entanto, foram os militares e o povo que fizeram o 25 de Abril. Às vezes dá-se o caso de um casal muito feio ter um filho muito bonito. Parece-me que foi o que aconteceu, embora nem toda a gente esteja convencida da beleza da criança. Para mim, o mais divertido nas comemorações do 25 de Abril têm sido as tentativas para tornar a data "mais consensual". O Dia da Liberdade não reúne consenso, o que me deixa verdadeiramente surpreendido. Percebo que a liberdade não seja consensual, mas do meu ponto de vista ninguém teve razões de queixa: para quem aprecia a liberdade, o 25 de Abril foi agradável; para os que não gostam, foi uma oportunidade para fazerem aquela viagem ao Brasil que tinham andado tanto tempo a adiar. Sempre pensei que a data agradasse a todos.

Na verdade, porém, o 25 de Abril parece agradar a cada vez menos gente. Há autores para quem o salazarismo não foi um fascismo, e outros para quem o 25 de Abril não foi exatamente uma revolução. O que faz com que, aparentemente, na frase "25 de Abril sempre, fascismo nunca mais", não haja nada que se aproveite. Nem o 25 de Abril foi 25 de Abril, nem o fascismo foi fascismo.

E por isso, amanhã, numa data que, pelos vistos, não chegou a ocorrer, comemora-se a nossa libertação de um opressor que, ao que me dizem agora, nunca existiu. Até parece mais bonito assim, não parece? Parece. Resumindo e concluindo: 25 de Abril sempre, fascismo nunca mais.

UMA JANELA PARA O FIM DO MUNDO

Neste momento, a comunidade científica está dividida: certos cientistas acreditam que há pessoas a menos na Terra; outros acreditam que há pessoas a mais. Os que defendem que há pessoas a menos, como é óbvio, nunca tentaram atravessar a ponte sobre o Tejo numa segunda-feira de manhã. Há que fazer mais pesquisa, companheiros. Por outro lado, a discussão terminaria com proveito para toda a gente se os cientistas que consideram que o planeta tem gente a mais morressem todos: contribuíam para a diminuição da densidade populacional e deixavam de chatear quem não se importa de viver apertado.

Confesso que não me interesso especialmente por questões demográficas, mas tenho um problema: sempre que se publica um desses estudos segundo os quais o mundo tem excesso de população, eu sinto que sou uma das pessoas que estão cá a mais. Maldito sentimento de culpa.

Uma coisa é certa: todos os estudos que apontam para o cenário catastrófico de um mundo superlotado parecem esquecer um facto a meu ver importante: boa parte das pessoas que estão vivas são idiotas. E essa idiotia acaba por lhes reduzir bastante a esperança de vida. Repare o leitor no seguinte: neste momento, cerca de três dezenas de membros de uma seita russa estão barricados numa caverna a sudeste de Moscovo. Todos eles estão convencidos de que o mundo vai acabar em Maio de 2008 (o que me causa algum transtorno, porque já tenho coisas combinadas para Junho) e ameaçam cometer suicídio coletivo. Enquanto houver gente desta, o planeta nunca há-de rebentar pelas costuras.

Atenção: não digo que esta gente seja idiota por acreditar que o mundo vai acabar daqui a seis meses. Cada um acredita no que quiser e ninguém tem nada com isso. Eu também acredito que ainda hei de casar com a Scarlett Johansson e não há quem me convença do contrário — nem mesmo a Scarlett, que bem podia parar de fazer queixa de mim à polícia. O que eu reputo de idiota é a opção pelo suicídio a escassos meses do fim do mundo. Como é possível ponderar a hipótese de perder o fim do mundo, que deve ser um espetáculo tão bonito? Se me disserem que o mundo acaba daqui a cinco minutos, eu vou fazer pipocas e sento-me à janela. Suicidar-me, além de estúpido, é estar a trabalhar para o boneco. É verdade que, por mais vistoso que seja o fim do mundo, no dia seguinte não poderemos comentá-lo com ninguém. Mas não deixa de ser reconfortante saber que também não há qualquer hipótese de lermos um daqueles comentários irritantes dos críticos a quem tudo sabe a pouco: "As bolas de fogo não eram assim tão grandes. Nem chamuscado fiquei", ou

"O apocalipse podia ter sido mais apocalíptico, especialmente no final." Não, meus amigos. Eu não perco o fim do mundo por nada deste mundo.

MÚSICA PORTUGUESA
FOREVER

A lei que obriga as rádios a passar mais música portuguesa alterou por completo o nosso panorama radiofónico: hoje em dia ouve-se mais música em inglês.

Muito bem, talvez seja exagero. Mas não andará muito longe da verdade. A lei não obriga as rádios a passar uma determinada quota de música boa, até porque a qualidade da música depende de um critério subjetivo. O problema é que a nacionalidade da música também parece difícil de determinar objetivamente. Uma música tocada com instrumentos estrangeiros, cantada em língua estrangeira e produzida em estúdios estrangeiros por produtores estrangeiros pode ser portuguesa, e uma música cantada pela Nelly Furtado em português (supondo que a língua que Nelly Furtado fala quando pensa que está a falar português é, de facto, português) pode ser estrangeira.

Vamos supor que a Madonna é acometida de uma virose esquisita e resolve gravar um vira do Minho em português. Pode acontecer. É um sonho que tenho há muito: de repente, uma boa quantidade de artistas

[123]

anglo-saxónicos decide que a língua inglesa é um bocado foleira e que as músicas ficam com muito mais pinta se forem cantadas em português. Pois bem, eis um facto chocante: o vira da Madonna não será considerado música portuguesa, por muito que ela esganice a voz, raspe no reco-reco e malhe nos ferrinhos. Por outro lado, a Ana Malhoa pode cantar o "Like a Prayer" da Madonna numa espécie de inglês — e canta, que eu já ouvi com estes que a terra há-de comer. Como é óbvio, a terra, se fosse minha amiga, tinha-os comido antes de esta infeliz ocorrência se ter verificado. O que me preocupa é que o "Like a Prayer" da Ana Malhoa, além de contar como música, o que já é estranho, conta como música portuguesa.

Espero não ser mal interpretado: não tenho nada contra a música portuguesa que é cantada em língua estrangeira. Mas tenho dificuldade em distingui-la da música estrangeira. Sobretudo, acho que se podia variar. Se a lei permite que a música portuguesa não seja, digamos, portuguesa, julgo que se podia arriscar um pouco mais. Por exemplo, compor uma boa música, palpitante de novidade, numa língua morta. "*Discipulae rosas donant magistrae, nomine Iuliae.*" Dava um grande tema. Quanto mais não seja porque, se não estou em erro, anda para ali um ablativo. Alguém componha uma *rockalhada* em latim, se querem ver o que é bom. O ablativo sempre me deu vontade de abanar o capacete. O genitivo nem tanto, mas o ablativo anima mesmo uma festa.

NÃO CHAMES À ESTAGNAÇÃO ESTAGNAÇÃO

Tenho seguido atentamente a atualidade económica e estou em condições de avançar com uma informação que me parece relevante: a economia portuguesa está estagnada em todo o lado menos na Agência de notícias Lusa. Não sei que microclima económico se vive na redação da agência de notícias, mas o certo é que, a fazer fé nos jornais (prática que, no entanto, não recomendo), os seus jornalistas foram proibidos de usar a palavra "estagnação" para descrever o que parece claramente ser uma estagnação. Para todos os que se queixam de falta de imaginação no jornalismo, a medida tem algum interesse. Parece um exercício de escrita criativa: descreva a estagnação económica atual sem recorrer às palavras "estagnação" e "económica". O que se perde em rigor ganha-se em fantasia.

Como acontece sempre que alguém impõe uma proibição sobre o discurso dos outros, levantaram-se imediatamente vozes que, por tolice ou maldade, bradam, à primeira oportunidade, "censura!". Trata-se,

[125]

evidentemente, de uma conclusão precipitada. Proibir alguém de dizer determinada palavra não é necessariamente um ato de censura. Pode ser uma tentativa, aliás bastante nobre, de zelar pela urbanidade do trato. Por exemplo: "Não se diz estagnação, que é feio." Quem sabe se, na evolução do latim "*stagnare*" para o português "estagnar", a palavra não sofreu um metaplasmo qualquer que a torna obscena? Por detrás da proibição imposta aos jornalistas da Lusa pode estar um subtil linguista que encontrou estragação na estagnação.

Outra hipótese: superstição. Como no caso daquelas pessoas que receiam dizer o nome de certa doença, também aqui pode haver o medo de que, se falarmos em estagnação, ela nos apareça — logo a nós, que estamos tão longe dela. Seria azar, convenhamos.

Há ainda outra possibilidade. Hoje em dia, toda a atividade económica parece decorrer num ambiente de ignorância. Greenspan não sabia que estava a preparar uma crise de dimensões históricas. O Banco de Portugal não sabia que as contas do Banco Português de Negócios não batiam certo. Os administradores do BPN não sabiam nada. Eu próprio desconheço por completo o que se passa nos bancos portugueses e, à primeira vista, todos os seus gestores me parecem pessoas de bem. É possível, por isso, que eu seja administrador de um banco sem que o saiba. Tenho o perfil e a doce inconsciência que o cargo, aparentemente, exige. Solicitaria apenas ao banco que estou a administrar sem o saber que me envie os lucros, se os houver, ou o dinheiro proveniente da ajuda do Estado, caso tenhamos tido a sorte de falir. Em todo o caso, a palavra-chave é "desconhecimento". Quanto menos se chamar estagnação à estagnação, menos perceberemos o que se passa. E essa, pelos vistos, é a maneira correta de estar na economia.

UM GRANDE BEIJO DE PLÁSTICO PARA A BARBIE

O 50.º aniversário da Barbie foi assinalado pela generalidade da comunicação social com uma altivez que se reprova. Uma boneca não pode celebrar 50 anos sem que a imprensa entreviste inúmeros críticos e não tente sequer falar com a aniversariante. Os jornalistas argumentarão que, sendo a Barbie uma boneca oca sem nada na cabeça, não faz sentido dar-lhe tempo de antena na comunicação social — mas a verdade é que esse critério nunca foi suficiente para os impedir de entrevistar alguém. Basta pensarmos na quantidade de entrevistas que eu tenho dado.

A Barbie tem sido vítima de uma das mais chocantes campanhas negras alguma vez urdidas em Portugal, país em que se urdem a toda a hora campanhas negras especialmente chocantes. Uma boneca que, em 50 anos de vida, desempenhou 108 profissões diferentes (é das poucas pessoas no mundo que se pode gabar de, no espaço de uma década, ter tido carreiras profissionais bem-sucedidas quer como astronauta, quer como instrutora de aeróbica — algo que Neil

[128]

Armstrong tentou sem sucesso, nunca tendo conseguido ensinar competentemente o *bodypump*) foi apontada como símbolo da mulher doméstica — uma acusação que só pode ser explicada pela inveja que a reforma acumulada da Barbie, forçosamente, provoca nos críticos.

Pois bem, vejo-me forçado a defender a Barbie, até porque a Mattel costuma processar quem se mete com ela. Defendendo a Barbie estou, aliás, a defender-me a mim mesmo: só no ano passado foram vendidas cerca de cem milhões de Barbies, metade das quais são propriedade das minhas filhas. A Mattel fez a descoberta comercial do século: todas as meninas nascem com uma vocação especial para a pirosice que esteve durante milénios à espera de ser capitalizada.

Começo então por dizer o óbvio: de todas as bonecas que partilham o nome com carniceiros nazis, posso dizer que a Barbie é, sem dúvida nenhuma, a minha favorita. Nunca gostei especialmente da Goebbels Assistente de Bordo e sempre considerei a Himmler Patinadora um pouco sinistra, mas a Barbie tem aquele encanto suave que, digam o que disserem, faltava a Klaus Barbie — apesar de partilhar o seu porte ariano.

Claro que conheço as críticas segundo as quais o corpo da boneca é irrealista, mas não concordo. Atualmente há muitas senhoras que, quando chegam aos 50 anos, também já são quase todas de plástico. Tenho visto várias quinquagenárias bem mais inexpressivas do que a Barbie. E boa parte delas chega ao fim da vida com o rosto mais jovem que o Benjamin Button. Eis

[129]

um filme cuja história é bem banal: basta ir a Cascais para ver meia dúzia de senhoras que sofrem da mesma doença.

TU ANDAS NA LUA, HOMEM

Quarenta anos depois, a ida do homem à Lua continua a impressionar-nos: como é possível que a humanidade tenha colocado dois ou três astronautas em solo lunar, mas continue sem conseguir parar a aparentemente irreversível queda de cabelo que me vai devastando a pelagem do osso frontal? Tenho muito apreço pela investigação científica e pelo valor simbólico da ida à Lua, mas emocionar-me-ia mais se a minha testa não estivesse a ficar mais ampla. Custa a entender que se avance para a Lua antes de estarem resolvidos alguns dos mais graves problemas da Terra, no topo dos quais está a calvície, especialmente a minha. Confesso que já fui menos sensível aos problemas dos carecas, mas vou ficando cada vez mais chocado com a ida à Lua à medida que a minha cabeça se vai assemelhando à superfície lunar.

Não sou, evidentemente, o único desiludido com a viagem que faz agora 40 anos. Muitos escritores não podem deixar de ter sentido a aventura da NASA como um cínico ataque às suas obras:

[131]

desde que Neil Armstrong pôs o pé na Lua, boa parte da ficção científica deixou de ser ficção. E, até certo ponto, científica. A saga de Hans Pfaall, o herói de Edgar Allan Poe que chega à Lua a bordo de um balão de ar quente, perde impacto quando comparada com o relato real do feito de 1969. A história de Michel Ardan, que, em *Da Terra à Lua*, Júlio Verne projeta para a Lua com uma espécie de canhão, deixa de ser fantástica se cotejada com a história de Neil Armstrong e seus colegas. E a proeza do Cyrano de Bergerac de Edmond Rostand, que diz ter saído da Terra após um banho de mar sob a luz da Lua cheia, a qual teria atraído a água dos seus cabelos como faz com as marés, só mantém algum do seu interesse porquanto mistura a ida à Lua com o tema do cabelo — sugerindo, aliás, que a viagem lunar está vedada aos carecas, o que uma vez mais se lamenta.

A observação de que o passeio lunar dos americanos esvaziou a ficção científica é, no entanto, corriqueira. Pessoalmente, não me interessa o modo como a realidade ultrapassou certa ficção, mas o contrário: a possibilidade de que certa ficção se transforme também em realidade. Que outras histórias de ficção podem vir a tornar-se reais, após a chegada à Lua? Um monstro de Frankenstein verdadeiro seria interessante. Uma viagem no tempo também. Mas, sobretudo, o mundo ficaria substancialmente diferente se deixassem de ser ficção as histórias daqueles filmes em que um canalizador acaba de consertar a torneira de uma senhora que, além de envergar apenas um avental, constata nesse momento que não possui quaisquer meios convencionais de pagamento de bens ou serviços. Eis um projeto no qual a NASA poderia investir com o meu beneplácito. Num mundo assim, ao que tenho visto, até os carecas se divertem.

ISTO PRECISA É DE UM REFERENDO EM CADA ESQUINA

Confesso que não sei se as pessoas nascem com essa característica ou se optam por adotar o comportamento desviante que a Bíblia, aliás, condena — mas, na minha opinião, os canhotos não deveriam poder casar. Nem adotar crianças. Um casal de pessoas, digamos, normais, acaricia a cabeça dos filhos como deve ser, da esquerda para a direita. Os canhotos acariciam da direita para a esquerda, o que pode ter efeitos perversos na estrutura emocional das crianças. Na verdade, sou contra a adoção por casais heterossexuais em geral, sejam ou não canhotos. Atenção: não tenho nada contra os heterossexuais. Tenho muitos amigos heterossexuais e eu próprio sou um. Mas não concordo que possam adotar crianças. Em primeiro lugar, porque é contranatura. Quando olhamos para a natureza, não vemos casais de pardais ou de coelhos a adotarem crias de outros. Pelo contrário, esforçam-se por colocar as suas crias fora do ninho ou da toca o mais rapidamente possível. Ou usam as suas próprias crias para produzir novas crias. Mas não adotam. Provavelmente, porque sabem que é contranatura. Por outro lado, a adoção por casais heterossexuais pode condicionar a sexualidade das crianças. Todos os homossexuais que conheço são filhos de casais heterossexuais. A influência de heterossexuais tem, por isso, aspetos nefastos que merecem estudo cuidadoso. Por fim, há a questão do estigma social. Suponhamos que uma criança adotada por um casal heterossexual é convidada para ir a casa de um colega adotado por um casal de homens. Como é que o miúdo que foi adotado por heterossexuais se vai sentir quando perceber que a casa do colega está muito mais bem decorada do que a dele?

Quanto ao casamento entre pessoas do mesmo sexo, mais do que ser a favor de um referendo, sou a favor de vários. Creio que o casamento entre pessoas do mesmo sexo deve ser referendado caso a caso. O Fernando e o Mário querem casar? Pois promova-se uma grande discussão nacional sobre o assunto. A RTP que produza um programa com cidadãos de vários quadrantes que se posicionem contra e a favor da união do Fernando e do Mário. Organizem-se debates entre o Mário e os antigos namorados do Fernando, para que o povo português possa ter a certeza de que o Fernando está a fazer a escolha certa. E depois, então sim, que Portugal vá às urnas decidir democraticamente se concede ao Mário a mão do Fernando em casamento. E assim para todos os matrimónios. Se o objetivo é metermo-nos na vida dos outros, façamo-lo com o brio que essa nobre tarefa merece.

Defendo, portanto, uma abordagem especialmente cautelosa desta questão. Sou muito sensível ao argumento segundo o qual, se permitirmos o casamento entre pessoas do mesmo sexo, teremos de legalizar também as uniões dos polígamos. E sou sensível porque, como é evidente, não posso negar que me vou apercebendo da grande movimentação social de reivindicação do direito dos polígamos ao casamento. Parece que já temos entre nós vários muçulmanos, grandes apreciadores da poligamia. E eu não tenho homossexuais na família, nem entre os meus amigos, mas polígamos, muçulmanos ou não, conheço umas boas dezenas. Se toda esta massa poligâmica desata a querer casar, receio que os notários fiquem com as falangetas em carne viva, de tanto redigirem contratos de união civil. Mas, felizmente, confio que os polígamos sejam, também eles, sensíveis à mais elementar lógica: a poligamia é uma relação entre uma pessoa e várias outras de sexo diferente. A reivindicarem a legalização das suas uniões, fá-lo-iam a propósito do casamento entre pessoas de sexo diferente, com o qual têm mais afinidades. A menos que se trate de poligamia entre pessoas do mesmo sexo. Mas, segundo o presidente do Irão, parece que entre os muçulmanos não há disso.

VIDAL GORBACHEV SASSON

Anos depois do fim da Guerra Fria, o Ocidente enfrenta novo e diabólico inimigo. É numeroso, ataca em grupos e ameaça o nosso estilo de vida com uma intensidade de que o bloco soviético nunca foi capaz. Esse vil adversário é: os pelos.

Pronto, lá vem este com as suas gracinhas, pensa o leitor. Adquire uma pessoa uma revista de grande informação para se pôr a par do que verdadeiramente interessa e, quando dá por si, está a ler um artigo sobre pelos. É neste momento que o leitor contabiliza o tempo e esforço que, ao longo da sua vida, dedicou aos pelos, por um lado, e ao Pacto de Varsóvia, por outro, e se verga perante o meu raciocínio. Peço, no entanto, ao leitor que não se vergue. Registo com muito agrado a penitência mas proponho que avancemos, na medida em que o assunto é complexo. Além disso, assim vergado consigo ver-lhe os pelos das costas através da abertura do colarinho.

É curioso começar por notar que, hoje, atacamos os pelos com as mesmas armas que, há 20 anos, apontávamos aos russos. Raios *laser*. Lâminas. Químicos. Cera... Bom, talvez não tenhamos atacado os russos com cera. Mas a sanha com que aplicamos *laser*, lâminas e químicos aos pelos não tem paralelo nos tempos da Guerra Fria. Os raios *laser* cada vez estão mais eficazes, os aparelhos de barbear têm cada vez mais lâminas, os químicos capilares são cada vez mais caros. Não admira: à maioria dos ocidentais, os pelos causam mais transtorno do que o Brejnev.

Os pelos são cruéis. Os pelos são contumazes. Os pelos são retorcidos quer na forma quer no caráter. Crescem onde não devem e deixam de crescer onde deveriam. Há que descolorá-los onde são pretos e colori-los onde passam a nascer brancos. Nem as sobrancelhas têm o desenho certo nem as pestanas o comprimento adequado.

Cuidar dos pelos sai-nos do pelo. É preciso amaciá-los ou fortalecê-los, pintá-los ou descolorá-los, arrancá-los ou implantá-los, esticá-los ou encaracolá-los, apará-los caso sejam muito longos, fazer-lhes extensões caso sejam muito curtos. Às vezes, tudo ao mesmo tempo, mas em zonas diferentes do corpo. É muito raro um pelo nascer onde é desejado e crescer como é devido. Quando isso acontece, quase nunca se mantém da cor correta ou no feitio apropriado. Há muitas pessoas que são contra o uso do pelo de animais. Mas não tantas quantas são contra o uso do seu próprio pelo.

Os pelos batem, na inconveniência, o pão e as batatas fritas. O pão, que é bom fofo, passado pouco tempo fica rijo; as batatas fritas, que são boas estaladiças, passado pouco tempo ficam moles.

[138]

O pelo, mesmo quando é sedoso, liso, bonito e cor de asa de corvo, pode ser indesejado. Por exemplo, quando cresce numa orelha. O mundo não precisa de um estadista carismático, de um economista brilhante, de um líder espiritual. Precisa de um cabeleireiro que saiba fazer a Perestroika.

EIS O FLAGELO DO EYJAFJALLA

Que reflexão merece a erupção do vulcão Eyjafjalla, situado em Eyjafjallajokull? Primeiro, uma constatação linguística: aquilo que, para nós, é escrever letras à balda no teclado, para os islandeses é toponímia. Eyjafjallajokull é o tipo de palavra que aparece se eu fechar os olhos e carregar aleatoriamente em teclas. Na Islândia, é um sítio. Será que um islandês vendado escreve corretamente "Carrazeda de Ansiães" no seu computador? Não sei, e a comunicação social parece mais interessada em seguir o rasto às nuvens de cinza do que em falar das questões que verdadeiramente interessam, como esta.

Outro problema importante é o de investigar o modo como um amante da natureza deve olhar para o vulcão. Não faz especial sentido que uma pessoa que sofre pela extinção do lince da Malcata se alegre com a extinção do Eyjafjalla. Não é verdade que o Eyjafjalla é tão natural como o lince? Um vulcão é uma espécie de borbulha do planeta. Desenvolve-se e fermenta silenciosamente até esguichar um doloroso pus (espero

[140]

não estar a ser demasiado técnico). Mas faz parte da natureza como um carvalho ou um golfinho. A única diferença é que os vulcões estão para a natureza como os convidados bêbados estão para uma festa. O anfitrião, como o amante da natureza, quer ter a mesma gentileza para com todos os convidados, mas há um que entorna coisas e apalpa senhoras. É o vulcão.

Por isso, querendo ou não, todos nós sabemos, no íntimo, que há natureza de primeira e natureza de segunda: uma que deve ser protegida e apreciada e outra que é simplesmente desagradável. No entanto, por vezes cometem-se injustiças — e eu estou particularmente atento ao facto de, na natureza, haver filhos e enteados.

É uma observação que faço amiúde na qualidade de amante da natureza mas, principalmente, na de apreciador de caracóis. Muitas vezes estou a desfrutar de um pires de caracóis e percebo o olhar de repugnância que alguém me dirige. E, quase sempre, não tem a ver com o barulho repenicado que faço a tirar o bicho da casca, mas simplesmente com o facto de eu estar a comer caracóis.

O mais interessante é que, na esmagadora maioria dos casos, quem me censura por comer caracóis bebe leite e come ovos. O leite, recordo, é uma gosma produzida no interior de uma vaca, e os ovos são — não há como negá-lo — a menstruação da galinha. É impressionante a hipocrisia destes moralistas da nutrição. Mas, ultrapassada esta lógica e inevitável digressão pelo tema dos caracóis, voltemos à questão do vulcão.

[141]

Se há pensamento que deve alegrar-nos, nesta altura, é este: Portugal foi poupado aos mais violentos fenómenos naturais. Não somos arrasados por tornados, nem devastados por tsunamis. Não temos vulcões que nos aflijam nem avalanchas que nos soterrem. A natureza não tem culpa nenhuma de que Portugal esteja como está. É certo que, volta e meia, aparecem umas chuvas mais abundantes e, lá de longe em longe, um terramoto. Mas em geral o nosso clima é ameno e simpático, por muito que a comunicação social se esforce para descobrir desastres naturais em qualquer rabanada de vento.

Ainda na semana passada, a fazer fé nos jornais, houve um minitufão no Algarve e outro em Lisboa. Na impossibilidade de sermos visitados por tufões, temos minitufões. Note-se que a expressão "minitufão" nem sequer faz sentido. Não há, por exemplo, microgigantes. Um minitufão é, na verdade, um tufinho. Na semana passada Portugal foi, portanto, assolado por dois tufinhos. Não é especialmente assustador.

O PAÍS MAIS CRISTÃO DO MUNDO

No ano de 1143, o Papa Inocêncio II reconheceu que Portugal era um país*. Oitocentos e sessenta e sete anos depois, temo que Bento XVI venha cá dizer-nos que talvez o seu antecessor se tenha precipitado. O Papa visita Portugal numa altura em que, segundo dizem pessoas versadas em economia, embora contradizendo outras pessoas igualmente versadas em economia, o país está à beira da bancarrota. É inquietante não perceber se o Papa vem abençoar-nos ou dar-nos a extrema-unção. Seria demasiado atentatório do protocolo que o presidente Cavaco Silva tentasse convencer o Santo Padre a devolver-nos aquelas quatro onças de ouro que D. Afonso Henriques começou a pagar anualmente à Santa Sé? Podia ser uma boa ajuda para sair da crise, mas é provável que o Vaticano já tenha gasto tudo em hóstias e talha dourada.

* Mais ano menos ano, mais Papa menos Papa. Não me chateiem. O rigor histórico atrapalha quem quer trabalhar.

[143]

Portugal pode ao menos aproveitar a visita do Papa para aprender com a Igreja, sobretudo nesta altura em que o país parece condenado a fazer à União Europeia o que a Igreja faz aos fiéis: pedir esmola. Na verdade, dificilmente haverá país que viva mais de acordo com a lei de Cristo do que Portugal: há anos que os portugueses têm vindo a despojar-se dos bens materiais e a abdicar da riqueza. Se os países morressem (e não é assim tão certo que o nosso não esteja com os pés para a cova), Portugal seria certamente dos que iriam para o céu.

Para o Papa, visitar Portugal é a decisão mais inteligente que poderia ter tomado. A Igreja tem sido abalada pelo escândalo de pedofilia, e não haverá nada mais sensato a fazer quando se está envolvido num escândalo do que viajar para um país em que os escândalos são corriqueiros. De todos os altos-dignitários que vai encontrar, Bento XVI deve ser o que está menos atormentado por escândalos. Portugal é a Brobdingnag dos escândalos. Assim como Gulliver se sente mínimo em Brobdingnag, qualquer escândalo estrangeiro se sente pequenino em Portugal. O périplo do Papa pelo nosso país será o equivalente a uma pessoa que tem uma pequena mancha na camisa ir rodear-se de pintores de parede com os fatos-macaco todos sarapintados. Quem se atreverá a censurar o Papa por comandar uma instituição que só pediu desculpa a Galileu mais de 350 anos depois do seu julgamento quando é essa, precisamente, a duração média de um julgamento em Portugal? Aqui, qualquer um se sente impoluto. Deve ser nisso que consiste a nossa celebrada hospitalidade.

HANNAH MONTANA: UM ESTUDO

Esperava-se que a passagem de Miley Cyrus por Portugal estimulasse uma reflexão profunda acerca do fenómeno Hannah Montana. Tal não sucedeu. Não houve um único colunista português que tenha dedicado cinco minutos a pensar na menina de 16 anos que todos os pais de crianças pré-adolescentes desejam que contraia uma amigdalite que a impeça de cantar até 2025. Pois bem, esse silêncio acaba hoje.

Hannah Montana é uma série televisiva cuja protagonista leva uma vida normal durante o dia e, à noite, em segredo, veste uma roupa provocante e sai de casa para ir trabalhar. Esqueci-me de dizer que se trata de uma série infantil. E que a protagonista trabalha à noite como cantora. Os leitores que já se tinham precipitado para o canal Disney devem sentir-se fortemente envergonhados e procurar tratamento.

A série conta a história de Miley Stewart, uma adolescente normal e pacata frequentadora da escola que tem, no entanto, uma identidade secreta: depois das aulas, beneficiando de um astuto disfarce que consiste

[145]

numa cabeleira loira, encanta o mundo inteiro como Hannah Montana, uma estrela pop de indumentária galdéria. Ou seja, durante o dia é uma vulgar rapariga, durante a noite é uma rapariga vulgar.

Miley Cyrus, a atriz que faz de Miley Stewart e Hannah Montana, acaba de dar, no Rock in Rio, um concerto que, nos primeiros cinco minutos, foi o mais concorrido do festival. O concerto começou às 22h00 e, às 22h05, 70 por cento da plateia já tinha ido para casa fazer ó-ó, pois estava com soninho. Mas Miley bateu, ainda assim, o recorde de assistência, deixando para trás, por exemplo, Elton John. Ambos os artistas vestem lantejoulas, mas o público distingue claramente aquele que prefere.

Talvez o mais interessante em Hannah Montana seja o modo como a série contribui para um mundo mais moderno e mais tolerante. Hannah Montana é uma referência e uma inspiração para pais travestis de todo o mundo. "Vês, Pedrinho? O papá é como a Hannah Montana: à noite põe uma peruca loira e passa a ser outra pessoa. Não é decadente, é fofinho. Não é estranho, é Disney." Talvez seja este o fascínio de Hannah Montana: uma estrela que sabe encantar as crianças mas também consegue entusiasmar o mundo do transformismo. Não há muitos artistas que se possam gabar do mesmo. E, aqui para nós, ainda bem.

O PRESIDENTE DE TODOS OS RESSENTIDOS

Para Eduardo Lourenço, a obra de Saramago é um diálogo extraordinário com a Bíblia. Harold Bloom dizia que Saramago era o mais talentoso romancista vivo. E Cavaco Silva afirmou uma vez que os livros de Saramago lhe desagradavam porque tinham demasiadas vírgulas. Enfim, cada crítico literário com a sua mania. A mim, que não percebo nada de literatura, pareceu-me que as explicações com que o presidente da República justificou a sua ausência no funeral de Saramago tinham demasiadas reticências.

Bem sei que Cavaco decretou que a polémica em torno do facto de não ter comparecido no enterro de Saramago era estéril. Mas, por azar, as polémicas estéreis são as que mais me costumam interessar. Para polémicas fecundas sempre revelei menos capacidades.

Primeiro, e na qualidade de cidadão especialista em evasivas, devo lembrar que as melhores desculpas são singulares. Ora, Cavaco apresentou três. Por um lado, disse que não conhecia Saramago. Por outro, disse que

[147]

não era amigo dele. Finalmente, alegou que prometera aos netos mostrar-lhes as belezas dos Açores durante quatro dias. Só faltou dizer que não iria ao funeral de Saramago por desconfiar que Saramago também não irá ao dele. São demasiadas desculpas e, como é próprio das desculpas múltiplas, são pobres. A circunstância de não ter uma relação próxima com os homenageados nunca impediu o presidente da República de estar presente em cerimónias de Estado. Por exemplo, Cavaco comparece sempre nas cerimónias comemorativas do 25 de Abril, embora mal conheça a data e não seja propriamente amigo dela. Talvez seja melhor retificar a regulamentação do luto nacional. O país fará luto por ocasião da morte de uma personalidade de excecional relevância, a menos que o presidente da República se encontre a contemplar as Furnas.

No entanto, também o facto de estar de férias não tem impedido o Presidente de intervir em matérias de Estado. Ainda fresca na nossa memória está a importante comunicação ao país sobre o estatuto político-administrativo dos Açores, por causa do qual Cavaco Silva interrompeu o merecido descanso, há cerca de um ano e meio. Creio que, se o estatuto político-administrativo dos Açores tivesse falecido, Cavaco teria pedido desculpa aos netos e ter-se-ia dirigido ao cemitério para lhe prestar a última homenagem. Tendo morrido só um homem, não houve necessidade de perturbar o turismo. Na verdade, foi apenas isso que aconteceu. Não morreu um santo nem um demónio. Morreu um homem. Logo por coincidência, dos três é o meu preferido.

[148]

FORAM NÃO SEI QUANTOS MIL CINEASTAS QUE TOMBARAM PELO CHILE

A notícia do lançamento de um filme pornográfico baseado na história dos 33 mineiros chilenos que ficaram soterrados deveria encher-nos a todos de alegria. Mais uma vez, a indústria pornográfica demonstra que é das mais competentes, das mais rápidas a reagir aos desafios que a modernidade lhe coloca, além de continuar a ser das menos poluentes. É uma indústria que produz películas que fazem sonhar com um mundo melhor, um mundo em que talvez haja mais problemas de canalização do que no nosso, mas em que os canalizadores recebem uma justa recompensa. São filmes que, muito mais do que os de Walt Disney, nos introduzem num mundo de fantasia e nos reconciliam com a vida — por muito que Walt Disney tenha tentado incluir, nas suas histórias, elementos claramente roubados ao imaginário pornográfico, como anões, donzelas cândidas que, no entanto, beijam o primeiro príncipe que lhes aparece na floresta, ou animais de quinta.

Apesar de tudo isto, não posso deixar de manifestar o mais profundo desagrado relativamente a este projeto acerca dos mineiros chilenos. De acordo com o jornal *Expresso*, o filme será protagonizado pela atriz chilena Ana Karenina. Até aqui, tudo bem. A fusão da grande literatura russa com o mundo da pornografia já tem produzido resultados muito felizes, e quem viu o êxito *Guerra e Pás, Pás, Pás!* sabe do que estou a falar.

No entanto, segundo adianta ainda o *Expresso*, o realizador do filme, Leonardo Barrera, declarou que, e cito, "a intenção não é mostrar uma tremenda orgia no ecrã", mas sim "fazer algo simpático". Ao que este mundo chegou. Creio que o leitor concorda comigo: é perturbador constatar que, para um realizador de filmes pornográficos, uma tremenda orgia não seja algo simpático. O que pode haver de mais simpático do que o convívio? O que falta, em simpatia, à galhofa? Quem encontra seja o que for de antipático, meu Deus, na ribaldaria?

O ignóbil Leonardo Barrera prossegue manifestando a intenção de "ocupar toda a história dos mineiros com uma crítica social". E, não satisfeito, conclui: "Gostamos de fazer filmes com argumento." Talvez eu seja bota-de-elástico, antiquado, puritano, enfim, tudo o que quiserem, mas gosto da minha pornografia sem crítica social, e da minha crítica social sem pornografia. Embora não seja tão inflexível em relação à segunda. Que ninguém denuncie a vileza deste homem é mais um sinal de que a sociedade contemporânea perdeu a capacidade de se indignar.

[150]

A COMPLEXA ICONOCLASTIA DE OTELO

As comemorações do dia 25 de Abril resistem com cada vez mais dificuldade às lamentações do dia 25 de Abril. Primeiro, porque as primeiras decorrem apenas no dia 25 de Abril, enquanto as segundas decorrem durante todo o ano. Segundo, porque há cada vez mais quem lamente e cada vez menos quem comemore. A toda a hora ouvimos "Maldito 25 de Abril!" e "Isto precisa é de um novo Salazar!" É insuportável, este reacionarismo de velhinhos salazaristas, energúmenos anónimos de todas as idades e capitães de Abril.

Todo o reacionarismo é rico e interessante, mas o mais interessante de todos é o dos capitães de Abril. Quando Otelo Saraiva de Carvalho dá uma entrevista a manifestar arrependimento por ter participado no 25 de Abril (ou, como ele diz, por ter inventado, planeado, organizado e executado o 25 de Abril), e quando diz que o país precisa de outro Salazar, está a produzir as declarações políticas mais intrincadas da história da democracia portuguesa. Por onde começar, se é tudo tão complexo? Primeiro, as declarações de Otelo

[151]

revelam que o 25 de Abril foi feito por um salazarista. É uma notícia desconcertante. Que andam os democratas a fazer, quando celebram uma revolução levada a cabo por um fã de um ditador? Que andam os salazaristas a fazer, se têm levado anos a execrar um dia que foi arquitetado por um deles? Não sei se começa a ficar claro o modo como Otelo conseguiu pôr um país a pensar sobre si mesmo e a sua História. Otelo consegue ser um arrependido do 25 de Abril antes de ser um arrependido das FP 25 de Abril*. É obra.

Havia uma seita religiosa, os chamados cristãos cátaros, que tinha um costume encantador e profilático. Assim que um moribundo recebia a extrema-unção, uma piedosa comitiva de abafadores apressava-lhe a morte aplicando uma almofada sobre o nariz e a boca, não fosse ele ter a tentação de pecar já depois do perdão dos pecados. As pessoas vivas têm uma aborrecida tendência para pecar que as distingue das mortas, que são invariavelmente mais sensatas. Não havendo, na democracia, a figura higiénica do abafador, Otelo pôde continuar a pecar depois de ter participado na Revolução dos Cravos, feito que garante a redenção de qualquer alma. É justo. O dia 25 de Abril deu-nos a liberdade toda, incluindo a liberdade de sermos uns palermas. Por isso, muito obrigado, Otelo. E continue a desfrutar, se tem mesmo de ser.

* Forças Populares 25 de Abril, grupo de extrema-esquerda responsável por ações terroristas na década de 1980.

[152]

O PRÍNCIPE
DESENCANTADO

De acordo com a imprensa, o casamento do príncipe do Mónaco foi visto por um milhão de portugueses. Continua a ser bastante misterioso para mim que alguém queira assistir a um casamento, sobretudo se não pode estar presente no copo d'água. Os jornalistas que fazem a cobertura deste tipo de acontecimento avançam com uma explicação: as pessoas gostam muito de contos de fadas. É notável que este tipo de jornalista saiba sempre aquilo de que "as pessoas" gostam, e eu não sou ninguém para os contradizer. Mas o casamento do príncipe do Mónaco, mesmo sendo o casamento de um príncipe, não tem nada a ver com os contos de fadas. Talvez eu tenha sido um leitor desatento de Perrault, dos irmãos Grimm e de Andersen, mas não me recordo do conto de fadas que começa: "Era uma vez um príncipe de 53 anos, careca e relativamente anafado, que tinha, de acordo com a última contagem, quatro filhos bastardos. Numa linda manhã..."

Digamos que não se trata da descrição habitual de um dos príncipes dos contos de fadas — que, refira-se,

[153]

quase nunca se chamam Alberto. Estamos, além disso, a falar de um príncipe cujo reino, além de não ser bem um reino, tem cerca de dois quilómetros quadrados. É menos de metade da área da freguesia de Bordonhos, em S. Pedro do Sul. Que um grande número de portugueses deseje assistir ao casamento de Alberto Alexandre Luís Grimaldi e nenhum queira saber do matrimónio de Celestino Manuel da Silva Cardoso (presidente da junta de Bordonhos, para os leitores indesculpavelmente ignorantes) é das ocorrências mais estranhas da vida contemporânea.

Em geral, nos contos de fadas os príncipes são filhos de um rei muito bondoso. Ou, em alternativa, de um rei muito malévolo que eles combatem e substituem — passando eles a ser reis muito bondosos. Na vida real, os príncipes são descendentes de homens que eram piratas, ou brutos com jeito para andar à pancada, ou ambas as coisas. No caso do príncipe Alberto, há o problema adicional da progressão na carreira. Trata-se de um príncipe que nunca será rei, uma vez que os seus antecessores não tiveram sequer a decência de conquistar um território à altura de um monarca. É um príncipe que nunca deixará de ser príncipe. O trono do Mónaco sofre do complexo de Peter Pan.

Em resumo, trata-se de um gordito de meia-idade que manda numa espécie de borbulha da França, com uma área pouco maior do que três campos de futebol e cujos habitantes são, na sua maioria, pessoas que acedem a ser seus súbditos sobretudo para efeitos fiscais. Não vi o casamento mas estou ansioso pelo filme da Disney.

[154]

ORGIAS SEXUAIS REPLETAS DE SEXO, CÓPULAS, COITOS E FORNICAÇÕES

O caso das orgias promete ser ainda mais orgiástico do que parecia. Ora ainda bem. Não há nada como uma boa orgia para animar um povo, e o nosso bem precisa que o animem. Uma rápida pesquisa na internet revela que os jornais *Diário de Notícias, Jornal de Notícias, Sol* e a revista *Lux* noticiaram o caso, fazendo referência, não a orgias, mas a "orgias sexuais". Preocupados com a confusão que sempre se estabelece quando se fala de orgias, vários meios de comunicação puseram um rigor especial nas notícias: as orgias de que se fala são mesmo de caráter sexual. Uma confirmação para aquela gente de horizontes limitados, que não conhece orgias de outro tipo; uma desilusão para todos os que esperam há anos uma boa orgia contabilística: uma dessas festas de que tanto se ouve falar, em que os convivas comparecem com dossiês e faturas e desatam libidinosamente a calcular o imposto de renda uns dos outros.

Chamar "orgia sexual" a uma orgia constitui uma orgia lexical reveladora de uma orgia de significados.

[155]

Por um lado, talvez os jornalistas sintam a necessidade de esclarecer que aquilo que se vê no vídeo é mesmo sexo. É possível que se trate de uma orgia tão canhestra que não cumpra os requisitos das orgias a que os jornalistas estão habituados. Por outro lado, pode dar-se o fenómeno inverso. Esta, sim, é a verdadeira orgia, com sexo a sério, que se distingue das pífias orgias do costume a ponto de requerer o qualificativo de orgia sexual. A terceira hipótese, e mais preocupante, é a que aponta para o facto de os jornalistas desconhecerem que uma orgia é, por natureza, sexual. Analisemos cada uma das hipóteses, que o caso merece estudo amiudado.

A primeira hipótese é provável, até porque não há, até hoje, notícia de um vídeo caseiro de orgias que seja satisfatório. Por azar, são quase sempre filmes protagonizados por gente que não fazemos questão de ver vestida, quanto mais nua. As figuras públicas que realmente gostaríamos de ver num vídeo deste tipo, por descuido ou maldade nunca filmam a sua participação em orgias — sexuais ou outras.

A segunda hipótese parece inverosímil. Ficaria muito surpreendido se empresários do Norte e figuras do *jet-set* soubessem protagonizar uma orgia decente. Não duvido da sua capacidade de deboche, atenção. A minha intenção não é ofender. Limito-me a não acreditar que sejam capazes de deboche de qualidade.

Finalmente, a hipótese da ignorância dos jornalistas, que é intolerável. Aceito que um jornalista, no âmbito do seu trabalho, por ter de se debruçar sobre vários assuntos, não possa ser especialista em todos. Admito que um jornalista não saiba muito sobre economia, fraqueje na história, hesite na ciência política. Mas recuso ser posto ao corrente da atualidade por pessoas que não sabem o que se faz numa orgia. Há um mínimo de cultura geral de que uma sociedade civilizada não pode abdicar.

CONTO
DE NATAL

Era noite de Natal. Quase sempre, nos contos de Natal, é noite de Natal. Neste, curiosamente, também. Uma chuva fria teimava em cair, como que a dizer a quem passava na rua: "Então esta pluviosidade, hem? A natureza tem fenómenos giros."

A cidade estava já quase deserta, e era impossível que qualquer pessoa, por mais insensível que fosse, olhasse para as ruas vazias, com as iluminações a piscar e as montras enfeitadas, e não pensasse para si: "que rica altura para fazer assaltos!" Pensando bem, não se compreende como é que os nossos meliantes não aproveitam melhor a noite de 24 de Dezembro para furtar viaturas e domicílios. É uma dica de Natal que deixo aqui.

Na rua, havia apenas algumas pessoas que se apressavam, felizes, para chegar a suas casas a tempo da consoada, e outras que pareciam não ter para onde ir, pois tinham todo o aspeto de ser indivíduos desagradáveis, de quem ninguém gosta. Devia haver um sítio em que todas as pessoas que não são convidadas pelas suas famílias para a ceia de Natal pudessem passar a consoada. Um grande pavilhão com mesas corridas, em que as pessoas desagradáveis se pudessem reunir e fazer comentários acintosos umas sobre as outras. Haveria um porteiro que perguntaria a quem chegasse:

—É uma pessoa desagradável?

—Sou, sim.

—Então pode entrar.

—Obrigado. Mas olhe que a temperatura da sala podia estar mais quente e digo-lhe já que as postas de bacalhau me parecem muito fininhas.

Indiferente a tudo isto, Carlos dirigia-se para casa com alguns sacos de compras na mão. Foi quando dobrou a esquina que viu um vagabundo sentado num vão de escada. Carlos pensou: "Diacho, um vagabundo a pedir esmola na noite de 24 de Dezembro. Estarei metido num conto de Natal? Não me dava jeito nenhum, porque estou com pressa."

—Uma esmola para um pobre velho — pediu o vagabundo quando Carlos se aproximou. Carlos levou a mão ao bolso e estendeu-lhe uma nota de 20 euros.

—O dinheiro é uma oferta simpática — disse o vagabundo. Mas... e o calor humano, jovem?

—Não vou querer, obrigado. Sabe, eu tenho namorada.

—Não é isso. Podes convidar-me para cear em tua casa?

Carlos olhou para o velho e teve pena. Teve pena de não ir mais vezes ao ginásio porque, se estivesse em melhor forma física, já teria largado a correr dali

[159]

para fora. Ainda assim, achou que corria mais do que o vagabundo e aceitou convidá-lo para cear em sua casa. Assim que dobrasse a esquina, desataria a correr e, se não tropeçasse nos sacos, o velho nunca mais o apanharia.

No entanto, assim que Carlos o convidou para a consoada, o vagabundo ergueu-se, retirou a túnica e, flutuando no ar, disse:

—Ops... Tive uma tontura. Deve ter sido de me levantar tão depressa. Alguma quebra de tensão, ou assim.

E depois disse:

—Já estou melhor. Sou o teu Salvador. Aquele a quem tu ajudaste é, na verdade, o Messias.

—Ah, está boa. Bom, então muito prazer. Boa noite.

—Calma, bom homem. Não vás embora. Vou recompensar-te. Pede-me qualquer coisa. Terás tudo o que quiseres. Que desejas?

—Hum... Não estou a ver. Comprei na semana passada uns ténis e agora não há assim nada que eu queira. Adeus, boa noite.

—Espera aí, bom homem. Chega de modéstia. O que é que vai ser? Hum? Joias? Carros de luxo? Um palácio? O novo DVD do Gato Fedorento? Vamos, pede o que quiseres. Fizeste uma boa ação na noite de Natal e mereces tudo o que pedires ao teu Senhor.

—Ah. Bom. Sabe, é que eu sou ateu. Ou seja, não leve a mal, mas... como é que eu hei de dizer isto?... a verdade é que não acredito, digamos, em si. Pronto, boa noite.

—Mau, mas o que é isto? Não acreditas em mim? Então apareço-te na noite de Natal, faço o truque de me passar por vagabundo, flutuo no ar... o que é que queres mais, pá?

—Não, isso está bonito. Eu é que nunca gostei muito de magia. São feitios.

E foi então que Jesus perdeu a paciência e deu uma carga de pancada bíblica em Carlos. Primeiro, o Messias deu-lhe um chuto nos rins e, depois, assentou-lhe dois bons socos no queixo. A seguir, praguejou umas coisas em hebraico e foi-se embora. Carlos caiu e, por momentos, o fiozinho de sangue que lhe escorria da boca, a caminho da sarjeta, tomou a forma de uma estrela que, sobre a calçada, ficou a brilhar.

Era noite de Natal!

FELIZES 365 DIAS
A CONTAR A PARTIR DE AGORA

Ainda imbuído do espírito da quadra natalícia, quero dizer a todos que vou assassinar a próxima pessoa que me mandar um SMS a desejar bom ano novo. E sei que o leitor partilha a minha raiva. Isto da amizade é dos piores flagelos do mundo moderno. Porque o mundo moderno, estupidamente, oferece um vasto leque de opções para os amigos nos mandarem mensagens. Ou seja, o mundo moderno meteu a pata na poça mais uma vez. São mensagens de bom ano novo a chegar em catadupa e a provocarem um mau fim de ano velho, na medida em que temos de estar a apagá-las todas. Posso dizer-vos que tenho o polegar em carne viva.

Reparem: ao fim das primeiras 600 mensagens, nós já percebemos a ideia. Os nossos amigos querem que nós tenhamos um bom ano de 2006. Obrigado. Sinceramente. Agradecemos a todos. Mas agora parem de mandar mensagens, por favor. Nós prometemos que vamos ter um bom ano. Parem de desejar. A sério. E, para o ano, organizem-se: mandem uma mensagem apenas a dizer: "Bom ano de todos os teus

[162]

amigos." Revezem-se, e cada ano manda um. O ideal talvez seja cortar relações com todos os nossos amigos na semana anterior ao Natal e reatá-las apenas em meados de Janeiro. Evitam-se as mensagens e, até, a troca de presentes — uma vantagem nada negligenciável. E a verdade é que o Natal é a altura em que menos precisamos dos amigos porque, de qualquer maneira, as pessoas vão ser nossas amigas por dever sazonal.

Se me permitem, gostaria mesmo de pôr em causa toda a filosofia da mensagem de bom ano novo. Que sentido faz desejar bons períodos de tempo? E porquê "bom ano novo" e não "desejo-te um rico semestre", ou "espero que passes um excelente quarto de hora"? Será que, em Março de 2006, o desejo que formulámos em Dezembro de 2005 ainda está a fazer efeito? Nesse caso, para poupar tempo, talvez não seja mal pensado começar a desejar "Bom quinquénio". Arruma-se a questão durante um bom período de tempo. Está desejado, voltamos a falar em 2011.

A única vez em que não me desejaram "Bom ano novo" foi na passagem de 1999 para 2000. Estava em Nova Iorque e havia nas ruas inúmeros fanáticos religiosos de *Bíblia* na mão que, em lugar de me desejarem um bom ano novo, me informavam de que, à meia-noite, eu iria sofrer uma morte horrível e dolorosa, aliás coincidente com o fim do mundo, morte essa que era mais do que merecida na medida em que eu era um pecador inveterado e repugnante. Foi muito refrescante e agradável, e tão cedo não esqueço aqueles amáveis fanáticos. Curiosamente, umas horas mais tarde, quando regressei ao hotel, já não os encontrei. Talvez o mundo tenha acabado só para eles. Ou então, depois da meia-noite, tendo constatado que o mundo não acabara, pensaram: "Hum... Isto de ser profeta do apocalipse não é profissão para mim. É altura de aceitar o cargo de vendedor de alguidares que o meu cunhado me arranjou lá na fábrica de plásticos." Pela minha parte, tenho pena de lhes ter perdido o rasto. Gostava de lhes mandar um SMS a desejar um péssimo ano de 2006.

BALANÇO
DE UMA DÉCADA

O primeiro facto saliente acerca da década que agora termina é a resistência que oferece a quem pretenda referir-se a ela. Os anos sessenta são fáceis de designar, assim como os anos setenta ou oitenta, mas "os anos zero" é uma expressão que está ainda à espera de ser cunhada — talvez por ser estranha e, além do mais, imprecisa. Acabamos, portanto, de viver dez anos que não conseguimos denominar. Há males que vêm por bem: quanto menos nos lembrarmos destes dez anos, melhor. Não pode dizer-se que tenha sido uma década memorável. Foram dez anos que começaram, aliás, sob o signo da desilusão: o mundo não acabou no ano 2000, o que frustrou de igual modo os bruxos e aquela gente apreciadora dos grandes eventos. Os americanos bem tentaram, elegendo George Bush logo no primeiro ano da década, e deve reconhecer-se ele fez um esforço notável, mas, como em quase tudo o resto, fracassou.

Outra desilusão, talvez maior ainda, foi provocada pelos escritores de ficção científica. Anos e anos a

[165]

escreverem sobre o século XXI, que afinal é igualzinho ao século XX mas com mais telemóveis. O tamanho do nosso crânio não aumentou, não vestimos todos de igual, não viajamos em naves. O futuro chegou e, não há como negá-lo, é aborrecido. Não só não viajamos em naves, como passou a ser mais difícil viajar de avião. As viagens aéreas, que a ficção científica previa cada vez mais sofisticadas e rápidas, por causa dos atentados de 11 de setembro de 2001 tornaram-se bastante mais lentas e rudimentares. Em lugar de homens do futuro que entram em naves rodeados de fumo e munidos de aparelhos altamente tecnológicos, somos homens do passado que entram nos aviões descalços, sem o cinto das calças e impedidos de levar até uma garrafa de água.

Após a intervenção americana no Iraque, Saddam Hussein foi democraticamente executado por um grupo de alegres convivas. Pareceu apropriado que, tendo a guerra sido feita a pretexto de armas de destruição maciça imaginárias, a democracia imposta fosse, também ela, pouco mais que uma fantasia. O enforcamento foi filmado pelo telemóvel de um dos carrascos e colocado no YouTube. Foi dos filmes mais vistos do ano, juntamente com um em que dois gatinhos brincam com um novelo.

Na internet, o aparecimento das redes Hi5, Facebook, Orkut e Twitter, entre outras, permitem que pessoas com pouco jeito para fazer amigos na vida real consigam fazê-los no computador, e que as pessoas com pouco jeito para fazer amigos na vida real e no computador critiquem duramente este tipo de rede.

[166]

O aparecimento da Wikipedia, uma enciclopédia feita por gente que não domina especialmente qualquer área do saber, deu ao cidadão comum a satisfação de sentir que os seus conhecimentos são, muitas vezes, superiores aos dos enciclopedistas. Nas entradas da Wikipedia que utilizei para fazer este balanço da década, o ano de 2003 tem mais datas referentes a aspetos relacionados com os concorrentes do concurso *Ídolos* do que, por exemplo, aos aspetos da economia mundial.

Um negro foi eleito pela primeira vez presidente da Harvard Law Review. Um negro candidatou-se pela primeira vez à presidência dos Estados Unidos. Um negro venceu pela primeira vez as eleições americanas. Infelizmente, foi sempre o mesmo negro. Continuamos sem saber bem se os Estados Unidos e o mundo resolveram parar de discriminar os negros ou só este em particular.

E, até agora, foi mais ou menos isto que se passou. Mas tenho esperança de que, nos 15 dias que lhe sobram, a década ainda consiga dar a volta por cima.

SE NÃO ENTENDERES EU CONTO DE NOVO, PÁ

FOI COMPOSTO EM CARACTERES HOEFLER TEXT
E IMPRESSO PELA GEOGRÁFICA EDITORA,
SOBRE PAPEL PÓLEN BOLD DE 90 G/M^2,
EM JUNHO DE 2017.